남경필 참사랑

얼굴도 예쁘고 마음도 예쁘고
조그에쁜 꿈들이 될 줄을
참사랑과 같이 나누고 싶습니다.

이경자 드림

2006년.

별 속에 숨은 사람

서문

　살아온 날들을 돌아보며 하늘을 향하여 곧게 뻗어가는 대나무의 마디들을 떠올려 본다.

　유년에서 소년으로 또 청년을 넘어 장년으로 갈 때마다 분명히 다른, 단단한 대나무의 마디들.

　보내야 하는 세월을 접고 새로운 장을 펴며 자신을 키워왔다. 이제 장년의 시기를 마침표로 묶어 논 마디들은 또 다른 노년의 자락을 펼쳐 나아가야 한다. 시절마다 마음을 주고받을 수 있는 많은 사람들이 있었는데도 가슴 한 편에는 허전하게도 채워지지 않은 자리가 늘 있다는 것을 알았다. 그것은 생활의 무게에 눌려 꼼지락할 용기조차 갖지 못하고 비켜서 있었던 글쓰기에 대한 갈망이었다. 하얀 바탕 위에 잃어버렸던 언어들을 다시 찾아 한줄 한줄 그려 나갈 때 솟아나는 기쁨은 실로 영혼이 살찌는 것 같은 환희, 바로 그것이었다. 기쁨의 원천을 오랫동안 방치해 두었던 탓이리라.

　지인들이 물어 온다. 나누려 해도 더 이상 쪼갤 수 없을 것 같은 시간 속에서 어떻게 글을 쓸 수 있느냐고. 맞다. 그리 보면 내가 써온 글 어느 하나도 한자리에 차분히 앉아 끝까지 썼던 일이 없다. 한 문장을 쓰다가도 해야 할일이 널려져 있어 일 속으로 뛰어가곤 했다. 그렇게 온종일 글쓰기에 늘 매달려 있었다. 사탕을 아껴 먹어본 아이만이 달콤함을 오래 음미하듯이 나의 글쓰기도 그러했음을 밝히고 싶다. 여기 모여진 글들은 오랫동안 금을 다루던 집 마루 틈새로 흘러들어가 쌓여진 금가루처럼 자칫 흘려보내고 말았을 시간들 속에서 얻어진 소중한 재산들이다.

나 한사람에게 기쁨 주는 것만으로도 사명을 다한 듯한 시시하고 어줍은 이야기들로 누군가의 시선과 마음을 끌 수 있을까? 하는 물음 앞에서는 얼굴을 가릴 수밖에 없다. 지난겨울 23년 만의 귀국길에서 만났던 사랑하는 사람들이 '어떻게 살아가고 있니?'라고 한결같이 묻는 말에 사람 사는 곳의 기본은 어디서나 같더라는 대답을 했는데도 조금 있다가 다시 묻곤 했다. 그들에게 나의 생활을 조금이나마 공개한다는 점에서 기쁘기도 하다.

녹슬었던 머릿속을 격려로 닦아주신 존경하는 선생님께 감사를 드리며, 못난 부분이 많은 나 때문에 늘 손해보고 사는 남편과 가족들 그리고 주위의 벗들에게 미안함과 사랑의 마음을 전한다.

그런 모든 것을 허락하여 주신 하나님께도....

2005년 7월 23일

캘리포니아에서 강효순

차례

1부 플라타너스의 풍경

내가 만난 봄날/9

그 자리/17

꿈꾸는 집/22

겨울의 정취/26

가을의 뜰에 서서/31

보물찾기/35

바위를 뚫는다는 물방울/41

플라타너스의 풍경/46

달아 높이 곰/49

화려한 일몰/52

2부 한달란트의 충성

한 달란트의 충성/59

카드에 쓴 글/63

그 같은 미소가/66

사자굴/70

큰 축복/79

차 한 잔의 온기/84

산타가 주고 간 선물/88

그녀이고 싶어라/93

막내의 곤조/96

쓰러진 참나무/101

뒷모습/105

3부 요술방망이들

환상의 커플/111
철들이기/114
엄마와 딸/118
눈물 이야기/123
내게 있는 것/128
이가와 해가/132
어떤 부성애/136
아이의 양심/140
요술방망이들/146

4부 새들의 이야기

새들의 이야기/151
춤추는 나무들/155
삶을 이끌어준 말씀들/159
세대교체/165
아이의 히로/168
칭찬하기/172
두 살짜리와 함께/176
잔치를 빛내는 마음/180
어느 날/184
신장결석을 앓고 나서/187
겨울나무 속의 생명/191

5부 잠이 오지 않는 이유

주책바가지/197

반상회에서/201

슬퍼하는 아들에게/207

잠이 오지 않는 이유/211

별 속에 숨은 사람/216

전화요금 고지서/221

독백/225

오도방정 떠네/230

문화의 차이/235

작품해설 · 정주환/240

1부

플라타너스의 풍경

내가 만난 봄들

그 자리

꿈꾸는 집

겨울의 정취

가을의 뜰에 서서

보물찾기

바위를 뚫는다는 물방울

플라타너스의 풍경

닮아 놀이 곰

화려한 일몰

누가 현숙한 여인을 찾아 얻겠느냐
그 값은 진주보다 더하리라(잠 31:10)

내가 만난 봄들

　태어나서 지금까지 나는 아주 다른 세 곳의 고장에서 생활하였다. 이사를 자주 하는 분들에 비하면 별로 옮기지 않은 편에 속할 지도 모른다. 결혼하기 전까지는 내 고향 영광에서 줄곧 살았었고, 결혼 후로는 시카고에서 살다가 5년 후에 여기 캘리포니아로 옮겨 와서 지금까지 거주하고 있다. 그러나 세 곳의 봄은 너무도 차이가 많은 곳이었다.

안 개

　지금 살고 있는 캘리포니아 지역 중부에서 약간 북쪽에 위치한 여기 샌워킹카운티의 봄은 간절한 기다림도 없이 찾아온다. 겨울에도 언제나 영상의 온도인 이곳은 혹한이 없기 때문에 봄의 온기가 절실하게 기다려지지 않는다. 한 겨울이라도 살얼음이 어는 날이 그리 많지 않다. 그래서 서리가 지붕에 내리는 날이면 뉴스거리가 될 정도다. 이런 하찮은 추위에 호들갑을 떨면서 모직 코트에 가죽 장갑 머플러를 휘두르고 다니는 사람들을 처음 대했을 때는 '이만한 날씨가 추위라고 호들갑이라니, 쯧 쯧! 블라우스 한 장이면 충분하구만.' 하면서 속으로 비웃었다. 그러나 이삼 년 살다보니 나도 어쩔 수 없이 내복을 입는 등 캘리포니아 사람이 되어버리고 말았다. 서리가 내리는 날은 후두가 달린 두꺼운 재킷을 꺼내 입어야만 귀에 동상이 안 박힐 것 같은 생각까지 드는 것은 추위보다는 주위 환경이 나를 그렇게 동화시켜버리고 말았다.

이곳에 봄이 찾아들 무렵이면 회색으로 연일 흐려 있던 하늘이 파란색을 좀더 많이 보여주면서 안개가 활기를 치기 시작한다. 그러니까 이곳 봄의 특징을 들라하면 안개를 들어야 할 것 같다. 봄이 올 무렵이면 날씨가 서리대신 비가 내리기 시작한다. 이상하게도 비는 주로 밤에만 온다. 그러면서 서서히 본격적으로 봄이 시작되면 안개가 장막처럼 끼기 시작한다. 얼마나 두꺼운지 이쪽 전봇대에서 처쪽 전봇대까지는 물론이요 길바닥에 차선을 표시해 놓은 점이 세 개 이상 보이질 않는 것이 예사다. 고속도로에서는 앞차의 뒤꽁무니를 조심조심 따라가다가 출구를 놓친 적도 여러 번이었다. 이렇듯 진한 안개는 봄의 전령사다. 그러다가 안개가 차츰 엷어지면서 봄은 무르익어간다. 그땐 내 마음도 설렌다. 시가지를 조금 벗어나면 끝도 없이 펼쳐진 밭 한가운데 우뚝하니 솟아있는 참나무 허리에 걸려져 있는 한 가닥 안개는 뭐라 표현하기 어려운 감흥을 준다. 어릴 적 마당에 펼쳐져 있었던 베틀 위에 올라갈 날실들처럼 아득하기도 하고, 분명 병풍 위에 올려져 있는 한 폭의 동양화다. 가벼운 걸음으로 달려가 한 쪽 끝을 잡아당기면 살포시 놓여져 있는 실타래처럼 따라올 것 같다. 어쩌면 내 가슴줄기를 감고 있는 그리움과 똑같을까? 한줄기 솟아나기 시작하면 끝없이 딸려 나오고야 마는 사연들. 끝이 보이지 않게 펼쳐진 딸기밭이랑 위의 안개!

결혼식장에서 신랑 신부 걷는 길에 뿌려 두었던 안개를 하나님께서는 딸기밭 초원에 뿌려 두신 것이다. 아직도 쌀쌀한 기운이 남아있는 이른 아침 자애로운 어머니의 손이 덮어주시던 이불처럼 초록색 딸기포기들을 덮어주고 있는 보드라운 안개를 보고 있노라면 나는 어느 사이에 거인이 되어 안개들을 발목에 걸고 날아다니는 환상을 갖게 한다. 안개는 여기 저기 피어있는 꽃과도 어울린다. 사철 꽃이 흔한 이곳. 그래도 겨울의 여왕자리는 동백에게 주어야 한다. 빨간 꽃잎 속에 노란 수술들을 달고 있는 동백들은 온 겨울을 장식하고 있다. 동백이 빛을 잃어 갈 즈음에는 깜짝깜짝 놀라게 피어나는 꽃들이 있다. 버찌들, 체리꽃, 알몬드꽃들이다. 알몬드와 체리 과수원은 겨울이 오기 전에 농부들은 트럭위에 5m 이상의 높이 위에 양쪽으로 3m 이상은 됨직한 톱날을 싣고 나란히 줄지어 선 과목 사이를 다니면서 같은 높이로 나무들을 잘라준다. 그리하여 같은 높이가 된 나무들이 봄에는 장관을 만들어 낸다. 하늘은 첨벙 뛰어 들어가면 물을 쏟아 낼 것 같은 파란색이요. 그 밑으로 하얀색의 꽃 천지. 꽃들 밑으로 검회색의 나무기둥, 그리고 땅에서 1m는 올라와 나무 기둥을 감싸고 있는 안~개. 그 풍경은 나무가 이 세상 땅위에 뿌리를 내리고 있다고는 생각이 들지 않고 구름 속에 서있는 착각을 주기에 알맞다.

다정한 나의 벗과 여기 안개 속에 서있을 수가 있다면 천국의 기쁨을 만끽할 수 있을 것인데. 만날 수 없는 그 친구가 가슴 저리게 그리워진다. 두보가 봄의 절경 앞에서 이백을 그리워하며 노래했다던 시 구절 중의 춘수모운(春樹暮雲) 나는 백번 두보의 심정을 이해할 수 있게 되었다.

눈 뭉치 속의 봄

봄다운 봄을 맞으려면 역시 겨울다운 겨울이 필요하지 않을까. 한마디로 길고도 혹독한 시카고의 겨울 추위는 고작 2-3주에 불과한 봄을 갈망하게 하며 그 추위야 말로 봄을 봄답게 만들기에 충분한 겨울이다. 11월부터 2월까지. 어쩔 때는 3월까지 오는 시카고의 눈은 매력 없는 싸락눈이다. 녹을 줄 모르고 쌓이기만 하는 눈은 잔인하기까지 하다. 그러나 겨울을 이기고 개선장군처럼 살아오는 시카고 주변의 봄은 엘리어트의 시를 생각나게 한다.

  4월은 잔인한 달
  얼었던 대지에도 싹은 돋아나고.

  차가운 눈 속에서 아무도 모르게 새싹들의 움직임이 있다.
여인내의 속살보다 더 부드러운 싹으로 하여금 칼날같이 차
가운 언 땅을 뚫게 하는 4월이기에 4월은 잔인하리만큼 아
름답다. 가장 보드라운 것을 택하여 가장 강한 것을 이기게
하는 것은 오직 봄기운을 가진 4월의 후원이 있었기에 가능
할지 모른다. 어쨌거나 얼어있는 땅을 들치고 살포시 고개를
내민 싹들은 아무도 눈길 주지 않지만 성실히 자라나 양지바
른 처마 밑에 어느덧 하얗고 노란 꽃망울을 열어제낀다. 쌓
여진 눈 녹여내며 봄이 성큼 왔다는 것만으로도 우리는 환성
을 지르기에 충분하다.
  수선화구나! 그러던 어느 날 화단의 한 가운데 죽은 나무
처럼 이파리 하나 없이 바람에 몸을 맡기고 서있던 목련은
현란한 자태의 봉우리을 탁하고 눈부시게 터트리고 만다.
여기저기서 봄의 기운을 알리는 움직임들은 역시 신의 섭리
를 발견하게 된다. 아직도 나무 밑 응달에는 검은 먼지 뒤집
어쓴 눈 뭉치가 남아 있지만 봄은 어김없이 찾아온 것이다.
  시카고의 봄을 장식하는 빼놓을 수 없는 것은 질주하는 차
들이다. 온 겨울동안 흐릿한 하늘 밑을 엉금엉금 기어 다니

던 차량들. 눈이 오기가 무섭게 차도를 제설 작업하느라 염화칼슘을 뿌려둠으로 운전하기에 큰 불편은 없었건만 흐린 하늘은 운전자들을 겁먹게 한다. 그러다가 봄이 되면 따사로운 햇살이 길을 질퍽하게 만들고 눈 녹은 물기를 가득 묻힌 차들이 쏴아쏴아 질주를 한다. 세차장마다 바쁜 일손들을 움직이게 하고 사람들의 얼굴에도 온기는 살아나며 모두에게 넉넉해지는 마음들. 시카고의 봄은 얼었던 사람들의 마음속으로도 스며온다. 정녕 짧은 시카고의 봄은 수선화와 목련, 따사로운 햇빛, 얼굴마다 피어나는 넉넉함 그리고 질주하는 차들이 장식한다.

고향의 봄

　살아 있는 날 동안 나를 사로잡고 있는 봄은 역시 고향의 봄이다. 그러니까 진정한 봄의 의미를 찾게 하는 것은 내 고향 영광의 봄인 것이다. 지금까지 고향의 봄처럼 봄다운 봄을 느껴보지 못했다고 하면 과장일까. 그러나 할 수 없다. 아직 나는 그처럼 따스한 봄을 만나지 못했으니까. 고향의 봄은 비단의 감촉보다 보드랍다. 살갗에 와서 감기는 비단결 그 보드라운 바람결의 봄은 그 어디에서도 찾아볼 수가 없다. 앙상하니 서 있는 나무는 밑동 아래서부터 검회색으로 눈 녹는 물기를 끌어올리기 위하여 분주한 떨림을 하고 있는 것 또한 봄기운을 알리려는 동작이다.

관람산과 성산 골짜기에서 푸릇한 색깔을 드러낼 즈음엔 개구리들의 합창이 들리면 창문들 열어젖히고 겨우내 쌓였던 먼지를 털어내기 시작한다. 그맘때쯤이면 라디오 방송마다 띄어주는 봄의 노래들.

"산 너머 오붓한 오솔길에 봄이 찾아온다네. 들 너머 뽀얀 논밭에도 온다네"

아지랑이들은 봄을 먼저 만나게 한다. 한번씩 뿌리기만 하면 온 대지 위에 온기를 더하는 봄비. 두꺼운 옷 벗어버리고 엷어지면 발걸음 가볍게 동네 고샅을 한바퀴 돌게 한다. 이른 아침에 대할 수 있는 봄의 풍경 하나, 앵두꽃 빠끔히 내밀은 호밀대 울타리 너머에서 구수하게 퍼져 나오는 밥 짓는 냄새, 그리고 아이들을 깨우는 다정하면서도 다부진 어머니들의 음성은 봄 아침이면 집집마다 내뱉는 흔한 소리들이다. 마당으로 들어오면 샛노란 병아리들을 거느린 통통한 암탉이 흙 마당을 긴 발톱으로 긁어대며 새끼들에게 줄 먹이를 찾다가 달려드는 강아지에게 날갯죽지를 땅을 향해 펴고 총총걸음으로 용감하게 방어하려는 모습도 고향의 봄 장면이요, 머리 위로 퍼지는 햇살 때문에 졸음을 불러일으키는 것도 봄의 그림 중의 하나이다. 산으로 밭으로 종종걸음 치는 농부에게 각종 나뭇가지들은 이슬을 머금은 것 같은 어린 싹을 마디마디 달고 있는 가지를 가만히 흔들어 주고 있었다.

풋풋한 봄배추로 만든 겉절이 김치에서 풍기는 참기름 냄새, 봄나물들과 섞어서 끓인 풋보리 된장국의 구수한 맛이여!

그립고 눈물나게 하는 내 고향의 봄! 올해도 어김없이 마음속으로 찾아올 봄의 풍경 하나, 양지바른 교사(敎舍) 처마 밑에는 검정 교복에 하얀 깃을 달고 주머니에 손을 넣은 아이들이 옹기종기 모여 있을 것이다. 개나리만큼이나 해맑은 얼굴들은 시작을 알리는 종소리와 함께 교실로 사라지면 아무도 없는 것처럼 그림 같은 고요가 보드라운 햇볕과 속삭이고 있을 것이다. 거기 고요와 따사로운 빛의 밀회를 방해나 하는 듯, "진달래 사태진 골에 돌 돌 돌 물 흐르는 소리..."

어느 교실에서 터져 나왔는지 초롱초롱한 눈망울들이 목소리 합하여 봄의 시를 낭송하는 소리가 고요를 후딱 물러가게 할 것이다.

그 자리

철이 들어가면 갈수록 부모님들의 깊으신 마음을 이해하고 숙연해지는 것은 보통사람들의 마음일 것이다. 지극히 보통 사람인 나도 세월의 흐름에 따라 부모님의 뜻을 헤아리면서 이제야 그것을 깨닫는다. 그리곤 그때 자신이 얼마나 어리석었나 하는 생각을 갖게 한다. 그 중에서 고개 들기 어렵고 도저히 따라갈 수가 없는 부분 하나가 있다.

슬하에 9남매의 자녀들을 하나같이 고른 사랑으로 양육하신 부분이다. 6남 3녀의 셋째 딸이요 형제자매 사이에서 여섯 번째 자리를 차지하고 있는 나는 얼마 전까지만 해도 부모님의 특별한 사랑을 혼자만 받고 성장한 줄로 알고 있었다. 그래서 몇 년 전 아버님의 82번째 생신에 모두 모인 자리에서 자랑을 하고 싶었다. "이래 뵈도 두 분의 사랑은 우리 아홉 중에서 내가 으뜸인 걸. 여기 모인 사람들이 알기나 한지 모르겠네."라고 말을 꺼내자 저쪽 소파에 앉아있던 막내가 스프링처럼 자리를 박차고 일어나더니, "누나! 꿈 깨. 내가 누군가? 막내라니까. 나야 말로 제일 사랑스러운 막내아들 아니겠어?" 말이 끝나기 전에 작은 오빠가 헛기침과 함께 나선다. "너희들은 몰라야. 내가 어떤 사랑을 받았는지는." 그러자, 셋째 오빠도 목청을 높인다. "형님! 셋째 아들 말씀을 하실 때 어머니 입에서 웃음 피어나시는 것 모르세요? 어렸을 때부터 그러셨지요. 저를 제일 사랑하였다라고"

큰 오빠는 미소만 짓고 계셨다. 아예 말싸움에 낄 가치도 없다는 듯이. 그러고 보니 9남매 모두가 지금껏 자신이 제일 부모님의 사랑과 관심을 받고 자라왔다는 생각으로 살고 있었는지도 모른다.

부모님은 9남매를 하나같이 '네가 가장 중요한 사람이다. 내가 너를 많이 사랑한다.'는 것을 말씀이 아닌 행동과 관심으로 대해 주셨던 것이다. 여유롭게 양육할 만한 환경은 못되었다. 그도 그럴 것이 그 때는 누구나 힘들고 어려웠던 시절이었다. 더구나 대가족을 거느린 농촌살림이야 더 말할 나위 있을까. 설령 토지를 많이 갖고 있었다고 할지라도 자녀들에게 정성을 쏟을 만한 시간과 물질이 따라 주지 못했던 시절이었다. 항상 바쁜 농촌 일, 논으로 밭으로 돌아다니시며 열심히 일을 해야만 했고 고단한 몸이지만 밤에도 쉴 틈 없이 먹을 것을 장만하셔야 했기에 충분한 잠도 주무시지 못하신 생활이셨다. 농한기인 겨울에나 낮잠 주무시는 부모님을 빌 수가 있었다. 그런 환경에서 어떻게 아홉 명의 자녀에게 고루 사랑을 전달하시면서 사셨을까? 두 분께서 가지셨던 특별한 자녀 교육방법을 이어받지 못하여 여간 안타깝다.

나는 고작 두 명의 아이들을 두었다. 내 어머니에 비하면 그야말로 놀고먹기다. 그런데도 아이들에게 충분한 사랑을 못다 주었다. "엄마는 오빠 것이고 아빠는 내 것 아무도 못 뺏어가!"하던 딸내미의 어릴 적 음성이 귓전을 때린다. 겨우 두 아이에게조차도 각각 '너는 나의 소중한 재산이다'는 것을 인식시켜 주지 못했고 보면 자녀교육에 대한 지혜가 없다는 것을 알 수 있다. 아들에게 쏠렸던 어미의 정, 딸에게 쏠렸던 아빠의 사랑을 들켜버렸을 정도이다. 나는 내 부모님의 지혜로운 사랑에 비하면 부끄럽기만하다.

이젠 아이들도 성인 문턱을 넘어섰다. 앞에 앉혀 놓고 "너는 내 마음을 온통 뺏어가는 단 하나의 아들이란다. 너는 눈에 넣어도 아프지 않은 오직 하나밖에 없는 딸이란다"하고 말로 일러주면 '또 잔소리 시작이구나.' 하는 표정으로 실실 웃는 그들 앞에서 잘못 되었던 어미 노릇을 실감 한다

편애를 받고 자란 사람들은 언제나 사랑에 배가 고프다. 욕구만큼 채워지지 않았던 지나간 시기의 사랑을 평생 만회하고자 하는 욕망으로 버티려 하기 때문에 옆 사람까지 힘들게 한다. 평생을 그 상처를 안고 살아가지 않는다고 할지라도 편애로 인해 불행을 초래했던 사례는 주위에서 얼마든지 볼 수가 있다.

성경 속에 에서와 야곱 쌍둥이 형제에게서도 볼 수 있다. 에서는 아버지 이삭이 사랑했고 동생 야곱은 어머니 리브가가 사랑을 했다. 이삭은 큰아들 에서에게 말했다. "사냥을 해서 내가 좋아하는 것을 만들어 달라 먹고 마음껏 축복하리리"고. 에서는 이 말을 듣고 사냥을 나갔고 야곱을 사랑한 리브가는 야곱에게 아버지의 죽복을 받게 하고 싶어서 에서처럼 꾸미고 음식을 들고 가서 눈이 어두운 아버지를 속이고 마음껏 축복을 받았다. 아버지와 어머니의 편애는 형제를 갈라놓았고 야곱이 긴 타향살이를 하게 만들었다. 그렇게 편애를 받은 야곱은 또 자신이 낳은 12아들 중 요셉과 베냐민을 편애함으로 인해 요셉을 형제들의 손에 의해 종으로 팔아버리는 죄악을 낳게 한다.

이렇듯 편애는 형제자매 사이에 시기와 질투를 낳게 하는 큰 요인이 되기도 한다. 자녀교육 같이 어려운 일이 없다. 때론 가난함이, 때론 풍요함이 성장하는데 걸림돌이 될 수도 있다. 과잉된 애정과 결핍된 애정들도 성격형성에 많은 영향을 준다는 것을 우리는 잘 안다. 어느 시대를 막론하고 자기 자식들이 온전한 성품과 훌륭한 인품으로 사회에서 존경을 받으며 살아가게 하고 싶지 않은 부모는 없을 것이다.

그러나 아이들에게 그런 교육을 시킨다는 것은 참으로 어려운 일이다. 그런 인성을 길러줄 수 있기란 더욱 어려운 일이다. 부모님들을 꼭 필요로 했던 그 자리에 있었을까? 기뻐해주고 박수를 쳐주었어야 했을 그 자리. 갈길 몰라 방황할 때 바른 쪽으로 표해진 화살표를 들고 있었어야 했을 그 자리. 자애의 손길로 쓰다듬어주고 위로해주었어야 했을 그 자리. 든든한 바람막이로 두려움에서 끌어 올려 주었어야 했을 그 자리. 날카롭고 서늘한 눈매로 경책하며 회초리로 종아리를 쳐주었어야 했을 그 자리. 항상 그 자리에서 자녀가 올바른 길로 갈 수 있도록 자리를 지켜 주었던 부모 앞에 자랑스러운 자녀가 되어 나타나리라.

그 자녀는 슬픔 앞에서 부모님의 위로가, 두려움 앞에서 격려가, 그리고 죄악 앞에서 사랑의 회초리가 떠올라 곧고 바른 길로 가는 고상한 인품으로 성장하게 되리라. 성숙한 성품을 가진 인격자로 존경받는 사람이 될 수 있을 것이다.

내 부모님들의 이야기를 듣는 혹자는 그 시대에는 모든 게 부족하였기에 가족간의 거리가 좁아 자녀를 향한 애틋한 마음이 바로 전달되었을 거라는 이야기를 할 것이다. 그랬을 지도 모르겠다. 그러니 사랑을 골고루 자녀들에게 부어주기가 쉬운 일이 아님을 내 경험에 비춰 봐서 알 수 있다.

두 아이의 부모 노릇도 흡족하게 하지 못한 나는 서로 받은 사랑이 제일이었다고 이상한 자랑들을 하고 있는 아홉 남매를 웃음으로 바라보시는 노부모님 앞에 늘 기가 죽는다. 그렇다 할지라도 이다음 온 가족이 만나면 부모님들로부터 다짐을 받아둘까 한다. "저를 제일 많이 사랑하셨지요? 제 말이 맞지요?" 하고. 그러나 두 분은 말씀하실 것이다. "열 손가락 깨물어 봐라 안 아픈 손가락 하나가 있는가."라고.

꿈꾸는 집

집을 한 채 만들고 싶습니다. 뒤쪽에는 병풍처럼 산이 둘려져 있고 비록 반듯하지는 않지만 넓은 땅이 필요합니다. 우선 그 넓은 땅을 따라서 울타리를 칠 것입니다. 검정 다섯 개의 철근으로 오선을 늘이고 중간 중간에 울타리 키와 같은 높이로 세로의 받침 기둥을 만들면 오선의 마디가 저절로 될 것입니다. 반듯하지 않은 땅이라서 오선은 물결치듯이 높이가 다른 땅들을 따라 흐를 것입니다. 쌍대문은 높은음자리표 두 개로 대신할까 합니다. 첫마디에 붙어 있는 사분음표와 이분음표를 보기만 하면 누구라도 '즐거운 나의 집'이라는 것을 알아버리고야 말 울타리를 만들겠습니다. 대문을 열 때마다 멜로디가 없어도 식구들의 맑은 목소리들로 금방 집 분위기를 알려주는 그런 집을 만들고 싶습니다.

아침마다 위에 낮은 안개를 이불처럼 덮고 있는 아득한 잔디밭을 만들고 잔디밭 가장자리엔 텃밭을 만들어야겠지요. 울타리보다 키가 작은 일 년생 꽃씨들을 봄철에 색깔 맞추어 뿌리고 오선 담 옆으로 호박이니 오이 넝쿨들을 올리어 주렁주렁 열매 매달리게 하여 쉼표를 만들게 하면 멋지겠지요. 뒤뜰에는 끝이 보이지 않은 깊은 샘을 만들고, 겨울에는 김이 모락모락 나며 여름에는 등줄기까지 시원한 요술의 우물물을 마음껏 퍼 올리고 싶습니다.

　기다란 복도를 끼고 편안하게 누워있는 일층짜리 빨간 벽돌집. 방마다 음악을 열어놓고 싶습니다. 예쁜 아가씨에게 연정을 품고 고백했다가 거절당한 아픔을 평생 간직했다는 할아버지가 쉬는 방에는 Donizetti의 아리아 '남몰래 흐르는 눈물'이 흐를 것입니다. 혼자 앉아서 분이네 돌이네 이야기, 진달래 동산, 원두막과 감나무 등을 가슴에 품고 사는 우리 엄마 같은 할머니를 위해선 고향의 봄을 들려드려야겠지요. 바나에 고기 잡으러 떠난 남편은 영원히 돌아오지 않고 언제 올지 모르는 아들과 며느리 오늘도 기다리고 있는 할머니를 위하여서는 '동백 아가씨'를 흘려보낼 것입니다. 아직도 기력이 남아 있어 뜨개질 바구니를 들고 정담을 나누는 분들이 모여 있는 곳에는 아무래도 물방울 같이 맑고 영롱한 바하의 칸타타를 아주 작은 소리로 나오게 해야겠지요. 예쁜 손자 소식을 듣고 뛸 듯이 기뻐하는 분을 위해서는 헨델의 메시아가 어떨까요? 아침이면 모두 일어나서 새소리의 구령에 맞추어 맨손 체조로 하루를 시작하는 곳, 넓은 부엌에는 언제나 풍성한 음식들이 기다리고 있어야 할 것입니다. 음식 만들기를 즐기는 분들이 행복해 하면서 만들어 놓은 음식들. 어느 때고 맛있게 먹기만 하면 되는 그곳. 먹고 싶을 때 먹고, 자고 싶을 때 자고, 웃고 싶을 때 웃어도 되는 자유가 있는 곳. 밤이 되면 한방에 모여 앉아 지나온 하루의 일을 감사해서 촛불 들고 기도하는 그런 집을 만들겠습니다. 미운 사람, 아픈 사람, 상처 난 사람, 부족한 사람 모두가 둘러앉으면, 오직 기쁨만이 퐁퐁 새어나올 수 있는 뒤뜰의 요술 우물 같은 마음의 우물을 키울 수 있는 그런 집을 소원합니다. 이런 저런 모양으로 지쳐있다가도 하룻밤 아니 몇 시간이라도 쉬고 있으면 힘과 행복 저절로 살려낼 수 있는 힘을 가진 살아 숨쉬는 방들이 있는 긴 단층 빨간 벽돌집을 만들겠습니다.

봄의 제비가 물어온 박씨로 희망을 심으면 여름의 소낙비가 흥건히 희망 위에 쏟아지는 그런 집. 가을이면 영근 희망들을 한 아름씩 걷어들고 가을처럼 푸짐한 마음들이 기쁨으로 들떠 있을 집, 이것이 내가 꿈꾸는 집입니다.

곧 겨울 아침이 올 것입니다. 온 천지 흰눈으로 덮이고 작은 소리조차 눈 속으로 빨려 들어가 카드 위에 그림처럼 고요하기만 한 빨간 벽돌집이 될 것입니다. 해님 방긋이 솟아올라 부드러운 손짓으로 하얀 눈 이고 있는 지붕을 쓸어주면 오선 울타리 위에 눈은 금방 녹아서 악보를 선명하게 드러낼 것입니다. 어디선가 부리에 까만 턱수염 달고 빨간 연미복을 입은 심홍조(CARDINAL 深紅鳥) 한 마리 날아와서 까딱이는 고갯짓과 펄럭이는 날개로 악보 향해 지휘하면 울타리위에서 잠자던 음악은 부스스 일어나 멋진 가락을 날려 보낼 것입니다.

고요 속에 묻혀있는 은빛 세상으로 퍼져나갈 아름다운 그 곡조 '즐거운 곳에서는 날 오라 하여도...'

겨울의 정취

언제부터인가 명절에 대해 관심이 없었다. 가는지 오는지 그저 무심하게 살아왔다. 그런데 이상하다. 올해는 심장이 뛸 만큼 빨간 글씨로 덧칠된 달력에 자주 눈이 머문다. 세월을 느낄 만큼 철이 들어가고 있음인가.

어릴 적 겨울의 풍경은 실로 설레는 하루하루였다. 겨울, 그 계절은 꼭 설을 준비하기 위하여 존재한 것처럼 생각할 정도였다. 오매불망 오직 설날만을 손꼽아 기다리는 계절이었다.

장롱 속에 있던 설빔을 하루에도 몇 번이나 들여다보았는지 모른다. 장롱 문을 여닫기를 수없이 했다. 향내 나는 새 옷을 만져보고 쳐다 보느라 장롱 앞에서 서성 거렸던 나의 유년의 겨울은 축복의 나날이었다.

그런데 그 겨울은 왜 그렇게 더디만 갔을까. 짧은 해도 너무 길기만 했다. 그러다가 설날을 한 달포 남겨두고부터는 본격적으로 설 준비에 들어갔다. 엿을 다리느라 종일 꺼지지 않았던 아궁이 속의 장작불, 밖에서 뛰어놀다가 고픈배 움켜 쥐고 부엌을 찾으면 한 그릇씩 인겨주시던 엿밥, 혀끝에 느 껴지던 촉촉하고도 달콤한 그 맛은 형용할 수가 없었다. 혹 독한 추위를 방어하기 위해서 두꺼운 옷으로 무장하시고 장 에서 돌아오신 어머니의 보따리에는 상어와 굴비가 담겨져 있었다. 그것을 함지박 뜨거운 물속에 넣고 짚수세미로 온 몸을 밀어 손질 하시는 것을 구경할 때 꿈틀꿈틀 살아있는 것처럼 입을 딱 벌린 모습이 무섭기까지 하였다. 이세 곧 설 이 일주일 정도 남은 밤이면 작은집 식구들까지 모두 와서 뜨겁게 달구어진 안방에 모여 숟가락으로 꾹꾹 눌러가며 반 듯하게 튀겨 놓은 유과 위에 묽은 조청을 바르고, 벼를 튀겨 만든 예쁜 튀밥을 골라 정성을 다해 장식을 하는 일은 왜 그 리도 즐거웠는지 모른다.

어머니께서는 시리도록 추운 아침에 솔가지 툭툭 꺾어 아 궁이에 불을 지피시면 새벽녘에야 잠들었을 언니들이 떠지 지 않는 눈을 비비며 부스스 일어났다. 사랑에서 자던 오빠 들이 수런수런 부엌 쪽으로 어느새 나타나 부엌 앞에 있는 눈을 치우면서 촐랑대던 강아지를 향해 "매리 저리 가" 연발 하던 소리가 지금도 귓가에 생생하다. 부엌에서 몇 발짝 떨 어진 샘까지 깨끗이 치운 오빠들은 김이 나는 물을 두레박으 로 퍼 물 항아리를 채웠다. 이날은 가마솥 뚜껑이 몇 번이나 열고 닫히며 식혜와 수정과가 나오는 시간만을 가슴 조이며 기다렸다. 식혜가 되면 성급한 우리들은 그 뜨거운 것을 양푼에 담아 장독 쌓여진 눈 위에 올려놓고 눈 속으로 가라앉는 모양을 보고 환성을 지르면서 먹곤 하였다.

양쪽에 손잡이가 달린 둥글고 까만 철이 내려진 것을 보면 전을 부치실 것을 짐작할 수 있었다. 곧 화덕에 빨간 숯이 담아지고 부엌 한쪽에서는 어머니와 노처녀인 작은집 큰언니가 마주앉아 도란도란 이야기 하며 그 일을 담당하였다. 생선을 다듬어 말려 놓으신 것을 차례로 부치고 고기를 엷게 저며 부치시는 육전, 노란 달걀 흰 달걀 무쳐 부치시고 그 위에 파와 실고추로 장식하시는 것은 어찌 예쁜지 보는 것만으로도 즐거웠다. 혹 모양이 부서진 것이라도 먹을까 싶어 가슴 조리며 앉아있노라면 반듯하지 않은 것을 먹으면 곰보 신랑 만난다고 크고 예쁜 것을 '옛 다' 하시며 주실 때는 입이 다물어 지질 않았다.

이윽고 섣달그믐이 임박해 오면 부엌은 바쁘기만 했다. 온 집안에 퍼지는 기름 냄새, 광문을 열 때마다 한 가지씩 늘어만 가는 설 음식들! 얼마나 군침이 났던가. 약과, 다식, 각종 강정에서 풍겨나오는 냄새는 어린 우리 마음을 녹여주었다. 이런 우리 어린 마음을 잘 아시는 어머님은 우리들의 습격을 피하기 위해 미리서부터 손닿지 않는 곳에 두셨기에 그림의 떡으로 끝났지만 그래도 즐겁기만 했다.

떠들고 웃다 보면 어느덧 하루해가 저물었다. 밖에서는 차가운 바람이 몰아치고 문풍지가 노래라도 부를라치면 구들 장의 뜨거운 열기는 기승을 부리며 겨울밤의 정겨움을 한층 고조시켰다. 윗목에서는 동동주가 지독한 냄새를 풍기며 익어가고 그 옆에는 검은 보자기를 뒤집어쓰고 있는 콩나물시루에서 알싸한 콩 내를 풍겨주었다.

좁아터진 방에서 사촌들끼리 얼기설기 드러누워 잠을 자다보면 덩치 큰 언니들이 모로 누워 이불을 몰아가 이불 속으로 찬바람이 들어와서 웅크리고 자야 했지만 그래도 그 밤은 실로 아름다운 밤이었다. 끊임없이 이어지는 언니들의 사랑 이야기며, 이웃집 총각 얘기에 관심은 없었지만 그린 얘기들이 싫지만은 않았던 걸 보면 그 때부터 사랑에 눈이 뜨였던가 싶다.

저녁 때가 되면 뒷문 쪽에서는 여자들이 둘러앉아 쫄깃하게 굳어진 가래떡을 썰어 떡국을 만들고 앞문 쪽에서는 아버지와 작은 아버지께서 남자들을 죽 모여 앉히고 밤을 깎는 방법이며 문어다리 오리는 법을 설명해 가며 솜씨를 전수하시기도 하였다 허리띠 같았던 문어다리가 아버지의 칼끝에서 생명이 있는 황룡으로 여의주를 물고 변신을 하는 것이 얼마나 신기했는지 모른다.

아! 또 하나 빼놓을 수 없는 기쁜 일은 서울 사는 큰오빠 식구가 온다는 소식이었다. 예쁜 조카들과 세련미 팍팍 풍기는 새언니. 언제나 나의 자랑이었던 큰오빠가 웃음과 함께 성큼성큼 마당을 걸어들어올 그 시간을 설렘으로 기다렸던 일도 잊지 못할 설날의 추억이었다.

드디어 설날 아침, 설레는 마음으로 잠을 설친 얼굴을 깨끗하게 세수하고 쳐다보고 만져보느라 하마 닳았을 것 같은 설빔을 드디어 꺼내 입고 차례를 드린 다음 어른들께 세배를 드리면 무엇보다도 두둑해지는 세뱃돈에 설은 즐겁기만 했다. 종일 세배꾼을 맞으시느라 대청과 윗방을 왔다갔다 분주하신 어머니와 작은어머니 틈에서 구경 하다가 저녁 늦게야 오빠들이 앞장서 발 도장 찍어 놓은 눈길을 살살 밟아가며 읍내까지 영화 구경 갔었던 일 등은 눈 내리는 무서운 밤이었지만 즐겁기만 했었다.

지금은 황폐해졌다는 나의 옛집! 우리들의 웃음소리! 사라진 그 밤의 정취, 이제 모두 잃어버린 계절이지만 예쁜 손녀 업으시고 함빡 웃으시던 선생님께서 계신 그 담 안엔 아직도 그 풍경 있을 것 같아 내 가슴엔 행복이 남아있다.

가을의 뜰에 서서

 햇빛이 힘을 잃어가고 있는 가을의 주말에 헐렁한 옷을 입고 내 손길을 기다리고 있는 뒤뜰로 나갔다. 넓지 않은 뜰이지만 손질하기 귀찮아 잔디를 걷어내고 시멘트를 한 다음 양 옆으로 작은 텃밭을 만들어 놨다. 여름내 우리들의 식탁을 풍성하게 하여주던 작은 뒤란, 그곳에도 가을의 기운은 찾아왔다. 대추들은 딸 때가 된 것을 알리려 붉은 열매 수줍게 이파리 뒤에서 내다보고, 아직은 파란 이파리 한창인 감나무의 감들도 발그스름하게 자태를 드러내며 익어가고 있었다. 작년에는 가지가 찢어질 정도로 열려서 근 7-8접을 따 여러 집들과 나누어 먹었다. 해 갈이를 하는지 올해는 얼마 열지 않았다고 서운해 하는 그에게 대신 알이 굵지 않느냐고 위로를 해주기는 했지만 내가 봐도 너무 안 열렸다 싶어 내년 봄에는 열매를 잘 맺게 한다는 비료를 몇 개 묻어 주어야겠다고 혼자 생각을 했다.

한 구덩이의 호박, 따먹는 재미도 쏠쏠했지만 순이 잘 뻗어가라고 처마 밑에서부터 호박 있는 곳까지 줄 서너 개를 쳐 주었더니 얼마나 건강하게 잘 자라는지 줄기들이 줄을 타고 와서 식당 창문 방충망을 넝쿨손으로 잡고 근사한 이파리들을 늘어놓았다. 낮에는 편안한 그늘을 밤에는 불빛을 받아 은근한 녹색의 정취를 만들어 여름 내내 즐겁게 지낼 수 있었다. 가을이 되자 넝쿨손에 힘이 빠져 호박 줄기들이 아래로 가라앉기 시작했다.

그 곳을 지나 종류별로 몇 그루씩 심어둔 텃밭, 노르스름해지기 시작하는 오이 근처로 옮기던 내 눈길과 발걸음은 옆에 있는 토마토 나무에게 빼앗기고 말았다. 한 여름의 땡볕, 화씨 백도가 넘는 더위에도 검푸른 이파리를 자랑하면서 싱그러운 토마토를 무진장 만들어 내더니 힘을 잃어가는 가을볕 그보다도 더 빠르게 잎들이 누렇게 말라 비틀어져 가고 있는 것이 아닌가! 그런데 놀랍게도 탐스럽고 빨간 토마토 두 개를 달고 서 있었다. 윤기 흐르며 토실토실한 토마토들은 어미나무의 연약함과는 대조적인 건강한 모습을 하고 있는데 검불처럼 메말라 가고 있는 줄기 어디에서 무거운 열매를 지탱할만한 힘이 나오는지 마지막 생기까지 다 하고 있는 듯 했다.

나는 그 앞에서 폭삭 주저앉고 말았다.

어머니! 우리 어머니의 모습을 보고 말았던 것이다. 죽으

을래야 죽을 틈이 없었다는 어머님. 자신의 젊은 날을 표현도 못할 만큼 바쁘게 사셨던 분. 농사일 집안일 자식 거두시는 일들이 생의 모든 것인 양 사셨던 어머님. 오직 자식들만이 한 가닥 희망으로 아시고 그것만을 위하여 뛰셨던 어머니, 차라리 불편하고 바빴던 그 시간들이 여름 속의 토마토 이파리처럼 푸르고 싱그러우셨으리라. 그런데도 아직도 일 걱정에서 놓여나지 못하셨다. 한길로 자란 자식들이 자기 갈 길들 가느라 분주할 때 한가하게 그동안 못 누리신 인생의 참 기쁨을 누리시고 사실 줄 알았다. 하지만 그리하지 못하고 시들시들해 지시는 모습이 영락없이 가을빛 속에 서있는 토마토 나무 모양 같기만 했다. 요즘은 신경통이 심하게 아파오는 밤이면 절뚝거리시는 다리를 끌고 부엌으로 들어가셔서 이것저것 자식들 입맛에 맞는 밑반찬을 만드신다 하셨다. 맛있게 먹을 그 얼굴들을 떠올리면 통증마저도 잊으신다는 어머니. 소중한 것 하나하나 자식들 위해 벗어버리신 오그라지고 시들어지신 허깨비 같은 몸이시다. 아프지 않으신 곳 한군데나 있으랴만 자신의 불편함 자식들이 알면 행여 공부하는데 지장 있을까, 일 하는데 지장 있을까 애써 목소리 가다듬고 받으시는 전화. 혹 피곤함이 묻어나와 "괜찮으세요?" 물을라치면 헛기침 컥컥 하시고 다시 카랑카랑한 목소리로 하시는 말씀 "나는 암시랑토 않다" 그 소리 들을 때마다 마음속으로 혼자 중얼거려 본다.

'다 알고 있습니다. 마른 나무 앞의 토마토처럼 싱그러운

열매되겠습니다. 그것이 어머니의 행복이시라면.'

어찌 그 희생을 다 적을 수 있을까. 말로 하고 글로 적는다는 그 자체가 깊은 뜻을 다치는 것이리라.

끝까지 사명 다하려 불면 훅 날아 갈 것만 같은 몸 지탱하고 서있는 토마토 나무는 괴로운 인생 여정 속에서 끊어버리고 싶은 생명줄까지도 자식들 때문에 끊지 못하고 견디었던 우리들의 어머니들을 닮았다.

나도 이젠 어머니라는 자리에 섰다. 젊음도 힘도 재산도 기쁜 마음으로 던져주어야 하는. 나를 통해서 탐스럽게 영글어 가는 그들을 보고 괴로움도 아픔조차도 감당해야 하는 자리에 들어 선 것이다.

거룩한 희생, 어머님의 모습을 생각하면서 마른 토마토 나무 앞에서 "나의 어미 역할은 어떠했나? 과연 어머니와 같은 아름다움을 가진 모습의 어미였나? 앞으로도 그런 훌륭한 어미가 될 수 있을 것인가?" 하고 자문해 본다.

어디서 왔는지 흰 나비 한 마리 팔랑팔랑 주위를 돌고 있다. 붉은 열매를 꽃으로 알았나보다. 엷은 바람에 사르르 몸을 떠는 대추나무 이파리가 아직도 자애로운 어머니의 손길만큼이나 따사로운 햇빛을 담고 있는 가을 뒤란을 흔들어대고 있었다.

보물찾기

　많고 많은 사람들 중에서 반짝하고 아름다운 마음을 비춰주는 사람들을 대할 때면 보물찾기 시간이 떠오릅니다.

　어릴 적 봄, 가을소풍의 한 프로그램이었던 보물찾기는 언제나 가슴을 설레게 했습니다. 산 속 나뭇가지 사이나 풀섶 밑, 혹은 바위틈에 숨겨놓은 종이쪽지, 날아가지 못하게 작은 돌멩이나 흙 따위 등으로 살짝 눌러놓았던 그 종이들을 찾기 위해 우리들은 얼마나 가슴 졸였는지 모릅니다. 그 하얀 종이들을 찾아 낼 때는 너무도 행복해서 팔짝팔짝 뛰어댔던 추억들이 있습니다. 고작 연필 한 자루, 공책 한 권, 또는 지우개 등의 학용품이 전부였지만 찾는 순간만큼은 발을 동동 구를 만큼 기쁘고 감격스러운 순간이었습니다.

　사람의 맑은 마음들도 누군가가 하늘나라에 있는 보석 창고 속에서 한 바가지씩 한 바가지씩 퍼내어 세상이라는 숲 속 여기저기에 숨겨 놓은 것이라고 생각할 때가 참 많습니다. 그리고 우리에게 그것을 하나씩 찾아내는 기쁨과 그것을 담아 놓을 수 있는 기억이라는 주머니를 선물하셨습니다. 주머니 속에서 아름답게 반짝이는 그것들을 바라보면서, '왜 니에게 귀한 빛을 내는 이 많은 보석들을 허락해 주셨을까?' 라고 생각하면 세상이 온통 기쁨으로 들떠오릅니다.

마음의 눈으로, 손으로 바라보고, 만져보는 그 보석들! 나의 눈길을 쉽게 가져가는 빛들이 있습니다. 아무리 바라보아도 눈을 아프게 하지 않는 고향 같은 빛의 보석이 있습니다. 사나운 겨울바람이 뺨을 마구 내리치듯이, 세상 속에서 뾰족한 것들이 내 자존심을 무참히 공격 할 때 시린 얼굴 부벼대고 싶은 어머니 가슴 색깔을 닮은 사람은 진주입니다.

주님의 귀하신 피 한 방울 가슴 속에 담고 기어코 누군가에게 그 빛 나누어주고 싶어 만나는 사람마다 예수님의 사랑 이야기 몸으로 전하는 분은 루비의 마음입니다. 높은 목표의 언덕 향해 올라가다가 마지막 남은 힘까지 모두 쓰고 이제는 한 치도 전진할 수 없는 상태, 쓰러져 흘린 땀 닦을 기력조차 없을 때 다가와서 가까워진 목표를 보게 해주고 조근조근 격려의 이야기 해주었던 마음은 바로 사파이어, 찬란한 빛 희망의 꽃입니다.

시큼 상큼한 개성이 통통 튀는 성품으로 늘 마음을 다잡아 주어 실수를 막아주는 나의 친구 내 남편은 분명 상쾌한 아침의 찬란한 에메랄드입니다.

모두들 잘난 세상 속에서 보일 듯 말 듯한 미소를 지으며 있는 듯 없는 듯 자태 요란하지 않기에 겸손으로 만들어진 듯한 마음의 색깔, 잊을 수 없는 임에게 날렵한 도장 하나 만들어 선물 하고픈 건 상아입니다.

굳어진 마음들을 그윽한 눈빛으로 녹여낼 줄 알고 붙임성 있고 상냥한 마음을 가진 분은 먼 훗날 내 고희 때 며느리에게서 선물로 받고 싶은 화려하게 만들어진 칠보팔찌입니다. 진리를 생명같이 여기기에 옳지 않다 여기는 것은 노를 할줄 알고 옳은 일에는 목에 칼이 들어와도 옳게 여기며 타협을 몰라 평생을 춥게 살더라도 자신이 시긴 진리 때문에 행복했었노라 말할 수 있는 그 사람은 보석중의 보석 금광석으로 찬란한 광택이 이는 사람이라고 자랑스럽게 말하고 싶습니다.

잡다한 일상도 버거워 허덕이고 있었는데 풀려질 것 같지 않은 난제를 만난 적이 있었습니다. 눈 딱 감고 가위로 삭둑 잘라버리고 싶었던 일, 그러나 잘라버려서는 더더욱 안 되는 일이기에 이러지도 저러지도 못하고 점점 문제 속으로 빠져들어 절망하고 있었던 지난날들이 있었습니다. 그때 조용히 다가와서 한발 뒤로 물러서서 사건을 바라볼 수 있는 여유를 알게 해주고는, 다정히 등을 도닥거리며 다른 한손으로 실마리를 찾아 조용히 해결해주던 그분은 지혜의 빛, 맑은 심홍색으로 빛나는 석류석이었습니다. 잘 익은 석류 속을 촘촘히 채운 석류만큼이나 현란하고 고운 빛이었습니다.

겨울비 주룩주룩 내리는 주말, 집안에서 뒹굴면서 책이나 보고 그러다가 입이 궁해지면 김치 부침개나 부처 먹고 싶은 생각이 드는 어느 날이었습니다. 그러나 꼭 해야할 일이 있어 한국마켓이 있는 큰 도시에 가야만 했습니다. 이웃분이 우리에게 샘표 국간장을 부탁했는데 그것은 없고 샘표 진간장과 몽고 국간장만을 팔고 있었습니다. 몽고 국간장을 고르자는 내 의견과 샘표 진간장을 고르자는 남편 의견이 맞서 작은 실랑이가 벌어졌습니다. 한참을 국간장이니 진간장이니 하며 옥신각신 하는데 백발의 파마머리를 곱게 빗어넘기신 할머니가 엷은 미소를 흘리시며 우리 곁을 왔다 갔다 하셨습니다. 언성이 제법 높아질 즈음에 우리 앞에 서셨습니다. 다정한 목소리로 따라오라 하시더니 당신 집으로 안내하시는 것이었습니다. 우리 부부는 폐가 될까 봐 내키지 않았지만 고마운 그 마음 다치실 것 같아 간장 한 병을 선물로 받아왔습니다. 간장 하나로 다투고 있는 중년의 철부지들을 지나치지 않으신 그분에게서 흘러나오는 포근함은 간장보다도 더 큰 선물이었습니다. 어리석게도 셈하려는 우리에게 "돈을 받으려면 가게에서 사게 두지 왜 집까지 따라오게 했겠냐?"라는 말씀으로 우리를 부끄럽게 만들었습니다.

흐뭇한 마음으로 간장단지 안고 오며 그려본 그분 마음속은 분명 엷은 감귤 빛을 따스하게 뿜어내던 할아버지 마고자 앞자락의 호박이었습니다.

옛날, 그 어린시절 보물을 찾으려 내리쬐는 햇볕 아래 여기저기 헤매느라 콧등에 땀방울이 어리었지만 그 때는 피곤함도 몰랐습니다. 돌부리에 걸려 넘어져서 무릎이 깨져 울다가도 저만큼 흰 종이가 보이면 아픔도 잊고 다시 흥분 했었던 지난 시절. 삭박하고 사나운 돌부리 같은 인심들이 발길을 막아도 그 돌들만 지나면 루비며 사파이어 밭이었는데 그 누가 세상을 포기한단 말입니까? 못된 돌부리 다시는 발길 막지 못하게 뿌리 채 뽑아서라도 들고 달려야 할 것입니다. 끌어안고 보면 울퉁불퉁 발을 걸던 그 부분이 그냥 만들어진 것이 아니라 외로움이 만들어낸 날카로운 예술품인 것을 알게 될 날이 올 것입니다. 개성이 강해서 비록 남의 무릎 깼지만 닦아주고 만져보니 아까워 버릴 수 없는 수정 빛 선명한 보석임에 놀랜 것입니다. 찬찬히 보듬어 안아보면 노을이 예쁘게 물들은 저녁 하늘을 밤으로 만들려는 외로운 회색빛 속에서 반짝 자태 드러내는 샛별, 그 빛일 것입니다.

어느 겨울, 밤 비행기를 탄 적이 있었습니다. 눈이 쌓인 산맥 속의 도시 위를 지나가고 있었는데 옹골차게 모여 있는 색색의 불빛들이 흰눈 빛깔에 스며 신비한 빛을 보여주던 그 도시들은 분명 누군가가 한 움큼의 보석을 산맥 기슭에 숨겨 놓은 것이 분명 했습니다. 눈 밑에서 조심스럽게 자기의 색깔 발하고 있는 모습을 보며 나의 보석주머니 속을 생각 했습니다.

하늘에는 무수한 별들, 땅 위에는 아름다운 도시의 불빛들, 그리고 내 마음 주머니속의 많은 얼굴들, 그 밤은 터질 것 같은 행복으로 한잠도 자지 못했었습니다.

이제 아침입니다.

동녘 하늘 위로 위풍도 당당하게 아침 해가 떠오르고 있습니다.

밝은 눈 크게 뜨고 오늘도 어느 구석에 묘한 방법으로 숨겨져 있는 보석들을 찾기 위해 두루두루 온 세상을 바라보라고 비춰줄 것입니다.

내 머리 위로 쏟아져 내릴 한낮의 환한 빛은 머리 위에서 돌다가 귓불 타고 내려와 아름다운 하루 만들라고 속삭일 것입니다.

다른 이의 마음속에 루비로 상아로 또는 호박으로 스며드는 하루 되리라고 자신을 채찍질 해 봅니다.

바위를 뚫는다는 물방울

　세탁소에서 일을 하다보면 명품의 의류들을 자주 대하곤
한다. 오늘도 소매를 고쳐달라 가져온 양복저고리는 이름만
대면 누구나 알만한 이태리제 고급 상품 의류였다. 보드랍고
따뜻한 캐시미어 재킷이 너무 좋았다. 열심히 뒤집으면서 작
업을 하다가 그만 자존심이 상해서 한참을 그대로 앉아 있었
다. 옷의 치수가 적혀져 있는 작은 표에는 영어, 독어, 불어,
스페인어 그리고 일본어로만 쓰여 있었던 것이다.
　우리나라 사람들은 유난히 세계적인 명품을 좋아한다. 그
러다보니 생활이 웬만한 사람들은 한두 가지씩은 외국 제품
을 소유하지 않은 사람이 거의 없다. 이렇듯 무시할 수 없는
큰 소비국인 대한민국을 배려하지 않고 홀대 한다고 생각하
니 부아가 치밀었다. 게다가 우리 제품이 외국 제품보다 조
금도 부족하지 않은데 하필이면 외제 명품만을 고집한다는

생각 때문이었다.

앞으로는 명품이라면 기를 쓰고 달려드는 풍조도 없어져야 할 것이다. 만약 그들이 한국을 의식하고 한글로 치수라든가 주의 사항을 표기하였다고 한다면 한국 사람들은 덥석 사지 않을 것만 같았기 때문이다.

사실이 아니기를 바라지만 어느 명품 회사가 세계적인 경제 한파로 다른 나라 시장에서 본 손해를 한국 시장에서 만회했다는 이야기를 들은 적이 있다. 근거 없는 이야기이기를 바라지만 어쩐지 입맛이 씁쓸하다. 언젠가 유학을 온 학생이 방학을 마치고 한국에서 돌아왔는데 어머니가 사주셨다는 이태리제 바지 두 개를 고치러 왔다. 바지에 붙어져 있는 가격표는 놀랍게도 백십만 원이었다. 동그라미를 잘못 본 줄로 알고는 보고 또 보고 한 적이 있다. 이런 엄청난 돈을 주고 황금도 아닌 천으로 만들어진 바지를 딸에게 사서 입혀줄 수가 있을까. 그 어머니의 모성애가 존경이 되긴 했으나 이 바지를 입고 겨우 $20-$30 하는 옷을 입은 급우들과 같은 공기 속을 거닐 수 있을 것인가를 오래도록 생각해 보았다.

우리 민족은 멋쟁이들의 예술적인 감각을 충족 시킬만한 재질과 센스를 가지고 있다. 스스로 만족시킬 만한 의류시장을 만들면 어떨까? 모르면 몰라도 훌륭한 제품들을 만들어 낼 수 있을 것을 나는 확신한다.

하루에도 셀 수 없이 많은 옷들이 내 손을 거쳐 간다. 10여 년 전만 하더라도 쉽게 한국제품을 대할 수가 있었다. 생산

국가가 어디인지 확인하지 않고라도 곧잘 찾아내곤 했다. 물론 한국적인 취향에 익숙한 때문이기도 하였지만 누가 봐도 잘 만들어진 제품이었기 때문이다. 가끔 지인들이 한국을 방문하고 돌아올 때 시장에서 골라온 블라우스나 티셔츠를 선물하기도 한다. 입고 일을 하면 손님들의 찬사가 나를 우쭐하게 만들 때가 많다. 우아하면서도 고상한 색상, 품위 있는 솜씨 등이 제품에 스며있기 때문이다.

우리 제품들은 옷의 실루엣을 생각하며 한 솔기 한 솔기 정성들여 잘 만들어 냈기 때문에 멋진 제품이 나온다는 어느 전문가의 이야기도 있지만. 조상들의 옷차림을 살펴보면 확실한 멋쟁이 기품이 살아있다는 것만은 아무도 부인할 수 없을 것이다. 우아하고 고상한 그러면서도 깨끗하고 단아한 멋을 낼 줄 알았던 민족, 상큼하게 올라간 도련 깃 하나에서도, 저고리 소매선 하나에도 날렵한 곡선의 예술을 만들어 낼 수 있는 민족은 그리 흔하지 않다. 게다가 바느질 솜씨는 얼마나 꼼꼼한가! 삯바느질로 자녀들을 교육시켜 왔던 할머니, 어머니들에게서 물려받은 정성어린 솜씨들! 고치려 가져온 제품들을 뜯어내기가 힘들었지만 얼마나 긍지를 느꼈는지 모른다.

손님들에게 바느질은 단연 한국이 으뜸이라고 자랑스럽게 말하곤 했었다. 만들어내고 있는 색상 어느 명품에 뒤지랴! 염색 기술이 형편이 없는 동남아시아나 남미 제품이 들어오면 세탁도중 변색이나 탈색이 될까봐 염려가 된다. 어찌 한국 제품을 따라올 수 있으랴?

그러나 이젠 한국 제품들의 옷을 대하기가 그리 쉽지 않다. 경제의 발전과 기술의 향상으로 작은 산업보다는 차원이 높은 고급산업에 중점을 두고 있다고 생각하면 반가운 이야기일 수도 있다. 그것은 선진국 대열에 끼어 있음을 말해주는 것이기 때문이다. 하지만 비록 하찮다고 할지라도 역량이 있는 부분이라면 키워주는 지혜도 있었으면 싶다. 의류에 뛰어난 재능이 있는 민족이 그것을 더욱 발전시켜서 세계시장을 겨냥한다면 틀림없이 좋은 결과를 내고야 말 것이기 때문이다.

우리 민족에겐 세계인의 취양 흐름을 판단하는 기술력을 가지고 있다. 그러므로 세계 시장에 뛰어들어 배우고 훈련하고 견문을 넓힌다면 무궁한 시장을 개척할 수도 있을 것이다. 국가에서는 명품이 한국시장에 들어오면 매장을 열게 하는 조건으로 재능이 있는 일꾼들의 일자리를 그곳에 얻게 하는 정책을 마련하여 기술을 키워보는 것도 좋은 대안이 될 것이다. 그런 회사의 제품에 대한 성향을 배우고, 디자인이라든지 기회를 포착하고, 세계인의 유행을 이끌어 갈 수 있는 소질을 배우고, 시장을 접수하는 방법 등을 역량 있는 인재들로 하여금 배우고 익히게 하는 방법, 그리하여 그들보다 창의력 있는 제품을 만들어 낼 수준으로 실력을 올린다면 기대 이상의 성과를 거둘 수 있으리라 생각한다. 그렇게 된다면 기술을 익힌 전문인들도 사명감을 갖고 고국으로 돌아와서 명품보다 나은 명품을 만들어 세련된 국민들의 욕구를 충족시킬 수 있을 것이다. 또한 세계시장으로도 당당하게 진출하여 유럽제품들을 떨게 만들 수도 있을 것이다.

우리라고 한 벌에 몇 천불씩 하는 제품 못 만들라는 법이 있겠는가? 숨어있는 고급인력을 끌어내는 데도 크게 도움이 될 거라는 생각을 해본다. 작은 여자 하나가 재킷을 들고 재봉틀 앞에 앉아 엉뚱한 망상을 하여 본다. 달걀로 바위를 치는 격이리라. 그러나 누가 알겠는가! 희망은 있다. 연속되는 작은 물방울들이 바위에 구멍을 낼 수 있다는 사실을 아는가? 작은 물방울 같은 마음들이여, 어서 일어서 보자. 여기에서 저기에서. 이 세계를 한번 한국의 세련미로 치장시켜보자.

플라타너스의 풍경

플라타너스 가로수 사이로 두 노인네들이 서 있습니다.

젊은 날이 그립고 사람의 따뜻한 정이 그리운 고만고만한 노인들이 회색의 오층 빌딩에서 모여 사는데 그 중 한 노인 내외가 막내따님 배웅을 나오신 것입니다. 세월에게 빼앗겨 버린 힘없는 두 다리는 몸을 가누기도 어렵게 보입니다. 간신히 지팡이에 의지하면서도 쉽게 보내지 못하시고 서성거리십니다.

드디어 시동이 걸려지는 차를 향하여 지팡이 잡지않은 손을 흔드십니다. 눈가에 주르륵 눈물이 흐르지만 얼른 닦지 못하십니다. 흔들던 손 멈추시고 눈가로 가져가면 먼 길 떠나는 자식 마음 아플까봐 뺨을 가로질러 턱에 방울져도 흔들고 있는 손 멈출 줄 모릅니다.

점점 멀어지는 차는 커브를 돌아섰습니다. 잡았던 지팡이 집어 던지고 잔디밭에 주저앉아 속 시원히 통곡하십니다. 울다가 옆자리 돌아보시는 영감님은 주머니 속에서 구겨진 손수건 꺼내 쏟아지는 눈물 때문에 고개 못 들고 "또 볼 수 있을 꺼나? 또 볼 수 있을 꺼나?"읊조리고 울고 있는 할머니의 얼굴을 닦아주십니다. 자신의 눈물은 손등으로 훔치시면서 부부는 슬픔에 젖어 있습니다.

하늘에는 양털구름 널려있고 햇살은 따가운데 플라타너스 가로수 밑 파란 잔디 위에 앉으신 두 노인네 일어설줄 모르고 그렇게 앉아 연신 눈물을 훔치십니다.

십대 후반에 만나신 두 분, 칠십년 가까이 같이 살다보면 모습도 동작도 그리 닮아가는지 구부정한 허리며 손등 등 지팡이 잡으신 모습까지 어찌 저리도 같을 수 있을까요? 한때는 막내딸도 우리 아버지보다 더 힘센 사람 있을까? 우리 어머니보다 고운사람 있을까? 자랑했는데.

막내딸은 초라한 두 노인네를 힐끔힐끔 백미러로 훔쳐보면서 행여 차가 지체되면 숨기고 싶은 눈물 들킬까봐 눈만 깜빡깜빡 물기 짜내며 애꿎은 액셀러레이터를 짓밟습니다. 그러다 돌아선 모퉁이 길에서 한소끔 쏟아내는 눈물보따리는 노인네들이 터트린 울음과 같은 시간입니다.

일년에 겨우 한두 차례 찾아뵙는 방문 길, "또 뵐 수 있을까?" 혼자 뇌어 봅니다. 늦기 전에 그 모습들 한번만 더 보자 분주히 얼굴 정리하고 한 골목 돌아 다시 갑니다.

멀리 잔디밭에서 아직도 서로 눈물 닦아주는 모습 보고는 차마 다가갈 수 없어 가로수 그늘에 숨은 채 "어서들 들어가세요. 어서들 들어가세요." 혼자 중얼거립니다.

나무 위에 울던 새가 차창으로 번뜻 모습 드러내더니 노인네들이 앉아 있는 플라타너스 숲 속으로 잽싸게 날아갑니다.

달아 높이 곰

"달아 높이 곰 돋아 "

무심코 불러댔을까. 옆자리에 앉은 집사 한 분이 정읍사를 읊어댄다. 그 노래를 들으면서 순간 나는 가슴이 뜨끔해 왔다.

주일 아침, 그러니까 오늘 아침의 일이었다. 내 자신의 실수로 남편의 소중한 주일을 망쳐 놓았던 것이다. 그래 놓고도 한 가닥 양심은 살아 있었던지 내내 불편한 마음으로 '그래 내가 두 배의 은혜를 받아 오늘 아침의 실수를 남편에게 보상해 주리라'는 마음으로 예배에 임했다. 그런데 설교를 듣다보니 교만이 또 발동했다. 구구절절 나보다는 남편을 위한 말씀으로 들리는 것이다.

'이건 몽땅 그 양반이 듣고 고쳐야할 부분이네! 쩨쩨하기는, 그 딴 일로 토라지다니! 근본적으로 따지고 보면 그게 어

디 모두 내 잘못인가? 나로 하여금 실수하게 만든 장본인이
남편 아닌가.'

이런 결론까지 내리고 딴에는 마음을 삭히지 못하여 한쪽
구석에서 꼼짝 않고 앉아 있는 내 귀에 들려오는 소리가 나
를 부르는 듯히여 그녀 곁으로 갔다. 그녀는 마음이 심란할
때면 언제나 "정읍사"를 읊조린다나. 그러면 심란했던 마음
이 곧 사근사근해진다고 했다.

나는 부끄러웠다. 그녀는 남편을 그리워하는 것만으로 행
복한 삶을 누리고 있는데 투정까지 하다니. 속 좁은 자신이
그렇게 얄미울 수가 없었다. 그것은 하나님께서 오만과 교만
이 가득한 나의 모습을 더 이상 두고 보시지 않으시려고 옛
가요 속의 여인의 이야기를 통해서 자신을 돌아보게 하신 신
실하신 하나님이 아니신가.

어떤 집사님은 믿지 않고 교회에 나오기 싫어하는 남편을
위하여 주일 아침이면 안마도 해주고 다리도 주물러 마음을
녹인 다음 교회로 모셔온다는데 교회 오기 위하여 모든 준비
를 끝낸 남편의 발길을 묶어버리고 도리어 그 탓을 남편에게
돌리려는 뻔뻔함이란 그 무엇으로도 헤아릴 수 없는 죄악이
아닌가.

무릇 지혜로운 여인은 그 집을 세우되 미련한 여인은 그것
을 허느니라(잠언 14장 1절)

이 말씀을 떠올리자 울고 싶은 충동이 온 가슴을 전율했다. 허물어진 내 자신의 마음을 다잡지 못하고 있는데 창밖 저쪽에서 그날도 졸라서 교회에 같이 왔을 남편과 나란히 햇빛을 이고 걸어가는 모습이 보였다. 꼭 신혼부부 같은 모습이 너무도 정답게 보였다.

나는 온종일 자신을 탓하는 반성의 하루였다.

화려한 일몰

난생 처음 보는 관경이었다. 노을이 눈높이보다 낮게 보이기는.

하늘은 차츰 차츰 치자빛, 연둣빛, 보랏빛으로 짙어지고 있었다. 그리고는 나중에는 하늘을 덮으며 온종일 같은 태양에 이글거리다가 석양이 되어도 빛 하나 사위어 지지 않던 불덩이 노을을 배경으로 조금씩 자태를 감추어가는 모습을 착륙하는 비행기 안에서 처음 목격하였다.

7월의 태양, 오헤어 공항에서 6시 반에 캘리포니아를 향해서 출발한 비행기가 무려 네 시간을 비행하는 동안 줄곧 길잡이인양 온 하늘에서 당당하게 군림하던 해를 산 위의 노을 속으로 몰아넣고 사뿐히 착륙하고 말았다. 오헤어 시간으로는 10시 30분, 캘리포니아 시간으로는 8시 30분, 긴 하루를 마감한 것이다.

입으로 가만히 중얼거려 본다. 긴 하루의 끝이 이렇게 찬란할 수가 있느냐고! 기내방송이 착륙을 알리는데도 흥분과 감격으로 꼼짝 않고 앉아 있었다. 그리곤 그 흥분 속으로 파고 들어오는 사람 하나를 만나고 있었다.

지난 어느 날 막 점심을 끝내고 가게 뒤에서 나른해지려는 몸을 추스르느라 맨손체조를 하고 있는데 손님이 들어왔다. 곱게 늙으신 할머니 한 분이 다섯 벌의 신식 바지를 줄이기 위하여 구두가 든 봉투를 내 놓으셨다. 색색의 바지에 맞추어 신을 구두에는 5-6cm 정도의 굽이 붙어 있었다. 깔끔하신 인상과는 다르게 내가 접어드린 바지 길이를 마음에 들어 하시는 것이 까다롭지 않은 성품임을 금세 알 수 있었다. 바지 입어보기를 마친 다음 옷 맡기신 영수증을 작성하는 동안 자연스레 내 눈길은 구두를 차 속에 넣으러 가시는 할머니의 뒷모습에 멎었다. 오래된 모델의 캐딜락 간색의 몸체는 아직 광택이 찬란했고 지붕을 씌운 아이보리색 가죽은 볕에 바랜 흔적도 없었다.

햇볕이 강한 캘리포니아에서는 가죽이 삭는 것을 많이 보았는데 오래된 듯 보이는데도 차를 새것 같이 잘도 관리하셨음을 알 수 있었다. 신기했다. 다시 가게로 들어오신 할머니께 어찌 저리 차 관리를 잘 하셨느냐고 물어봤다. 60세 생일에 아들과 며느리로부터 받은 선물인데 어찌 함부로 관리를 할 수가 있겠느냐며 내게 반문하셨다. "35년을 끌고 다니다 보니 이젠 여기저기 손을 봐야할 곳이 생겼어."라고 혼자 말처럼 되뇌신다. 순간 나는 너무 놀라 하마터면 넘어질 뻔하였다. 차도 차였지만 저 할머니의 연세가 95세라지 않은가. 세상에 이럴 수가 있을까? 버젓이 운전을 하시며 지팡이는 커녕 걸음 자세 하나 흐트러지질 않고 거기다가 굽이 있는 구두를 신고 다니시다니! 얼굴도 검버섯 하나 없는 너무 평온하고 고운 얼굴이라니. 그 뿐인가. 곱게 화장을 하시고 백발의 파마머리를 고대까지 하셨다. 더욱이 그 나이에 신식 새 바지를 다섯 벌씩 갖고 있다니! 믿어지지가 않았다.

할머니의 농담 같은 현실에 놀라 중얼거리고 있는 나에게 차분하게 말씀하셨다. "다들 그렇게 말하지만 농담이 아니야, 우리 남편은 나보다 3살 위인데 지금도 내가 그리는 그림이 자기 맘에 들지 않으면 코치까지 한다니까." 갈수록 태산이란 말은 이런 경우를 두고 하는 것일까?

그 비결이 무엇이냐고 물었다.

"몰라, 하지만 난 늘 기쁘게 살아 왔어. 사람과 관계에서도 어지간한 일에는 화를 내지 않는 게지. 이해하려고 했고 도와주려고 했고, 내가 기쁨을 느낄 수 있는 일이면 그저 열심히 한 것뿐이야. 어릴 때부터 그리던 그림을 지금까지 그리고 있잖아. 아참, 남다른 일이라면 술과 담배를 안했다는 것일까?"

몇 말씀 남기고는 꼿꼿하고 우아한 걸음걸이로 차에 올랐다. 차가 떠난 주차장을 하염없이 바라보면서 그분이 남기고 간 말을 곰곰이 되뇌어 보았다. 기쁘게 살면서 자기가 좋아한 일은 했고, 화를 내지 않았고, 술 담배를 하지 않았다. 비록 장수의 비결이 아니라 하더라도 얼마나 바람직한 생활인가.

두 노인은 아들을 성공적으로 키우신 것이 분명하다. 어머니 60세 생일에 최고급 차를 선물할 정도라면 탄탄한 경제력은 말할 나위도 없고 가정 또한 짐작이 간다. 어머니가 그 연세이면 아들들은 거의 30대이기 마련이다 보통의 가정은 20대 후반에 학교를 끝내고 삼십대면 자녀교육과 삶의 기반을 잡느라 동분서주 할 때이다. 돈이 있다 하여도 마음이 없으면 안 되는 일이요, 마음이 있어도 돈이 없으면 또한 어려운 일 아닌가! 거기다 부인과의 합의가 필요한 일일 것인데 시어머니의 생일에 고급 차를 사드리는 것을 두 손 들어 환영할 만한 며느리다. 요모조모 생각을 해봐도 큰 복을 받으신 분인 것만은 확실했다.

그 할머니를 통해서 오래 살기보다는 짧고 멋지게 살다 하나님 나라 갈 것을 늘 소망하고 살던 마음과 자식들의 덕을 보지 말고 사는 것이 자식들을 위하는 길이요 독립적이라 생각했던 내 생각이 바뀌어지고 있었다. 어머니의 역할을 훌륭하게 해 자식들이 존경하는 마음과 고마워하는 마음을 바탕으로 나온 효도라면 얼마나 큰 자랑이며 기쁨이겠는가? 무조건 짧은 인생보다는 건강하고 행복한 마음을 갖는 인생이라면 바람직하지 않겠는가.

아직도 붓을 들고 그림을 그리는 정다운 90대 중반의 부부

를 생각해보며 긴 인생을 행복하게 사는 것도 큰 복일 거라
는 결론이 나왔다.

　해는 서쪽 노을 속으로 넘어 갔다. 아니다, 하늘에다 두고
내가 내려 왔다. 내일 아침 뜨는 해도 새로 생기는 해가 아닌
오늘의 ㅗ 해이다. 90세 100세의 건강하고 찬란한 생을 마
감한다 할지라도 우리는 없어지는 것이 아니다. 눈에 보이지
않을 뿐이다. 지구 저편에서 찬란한 그대로 이글거리는 태양
처럼 계속해서 살아 갈 것이다. 해와 우리의 생을 넘나들며
생각하다가 감히 그 할머니처럼 60세에 나의 아들에게서 최
고의 선물을 받는 모습과 95세에 하이힐을 신고 꼿꼿하게 걸
어가는 내 모습을 상상하면서 벌써부터 노년의 내 인생이 기
쁨에 들떠있다.

2 부

한달란트의 충성

한달란트의 충성

카드에 쓴 글

그같은 미소가

사기꾼

큰 축복

차 한 잔의 온기

산타가 주고 간 선물

그녀이고 싶어라

막내의 공조

쓰러진 참나무

뒷모습

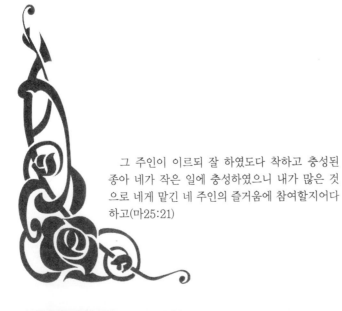

그 주인이 이르되 잘 하였도다 착하고 충성된
종아 네가 작은 일에 충성하였으니 내가 많은 것
으로 네게 맡긴 네 주인의 즐거움에 참여할지어다
하고(마25:21)

한 달란트의 충성

가게 문 닫을 바쁜 시간인데 전화 벨 소리가 요란했다. 달 뜬 딸내미의 목소리였다.

"엄마! 이따가 일곱 시에 학교 극장으로 오세요. 나는 지금 오빠랑 같이 학교로 가고 있거든요! 빠이"

대답할 겨를도 주지 않고 급하게 전화를 끊는다. 고등학생이 되어 처음 해보는 연극이라 그런지 여간 흥분에 차 있는 모습이 아니었다. 한 달여 전부터 연극 연습 한다며 '데려다 달라, 데려 가라' 바쁜 제 오빠를 귀찮게 굴고 날마다 호들갑을 떨더니 오늘이 공연 날이 된 것이다.

처음엔 '녀석이 좀 심하구나' 하다가 '저리 굴며 열심을 내는 것을 보니 분명 이 어미가 알지 못했던 소질이 있는 게 아닌가' 하는 생각이 차츰 들기 시작했다.

'그래 이번 연극만 잘하면 혹시 할리우드에서 단역 교섭이라도 올지 모르지. 아니 할리우드가 아닐지라도 각 대학 연극영화과에서 장학금을 주겠다며 모셔간다 서로 경쟁할지 누가 알아? 맞아! 설령, 인물이 좀 빠진다 해도 연기력만 있으면 어느 극이든 배역에 맞는 인물 필요로 하지 않던가. 아니야, 내 딸이지만 지만한 인물이면 신데렐라쯤 못 할까! 아무렴 미녀와 야수역도 충분히 해낼 수 있을 거야. 저 열정까지 있으니 잔 다르크 같은 역도 충분할 거야'하는 생각으로 며칠을 배실 배실 웃으며 개천에서 용같이 태어날 미래의 스타 나의 딸을 꿈꾸고 있었다.

급하게 집에 간 우리 부부는 저녁도 먹지 못하고 학교로 갔다. 4불씩이나 내고 구경하는 연극에 손녀 딸 나오기를 기다리시는 어머니는 벌써 지루하신 모양이었다.

의자 위에서 못질하다가 떨어지는 사람을 보고 "The guy is falling!"이라고 외치는 소리가 "The sky is falling!"로 와전 되어 하늘이 무너지는 줄로 알고 우왕좌왕 하는 것을 그린 코미디 극이었다. 진행이며 소품, 출연자의 연기력도 대단하고 나무랄 데가 없었다. 나는 이제나 저제나 딸아이 등장하기를 가슴 조이며 기다리고 있었다. 그러나 아무리 기다려도 끝내 딸내미는 보이지 않고 무너지는 하늘을 표현하느라 탁구공 한 무더기만 우르르 쏟아지더니 막이 이내 내리고 말았다.

허전하기도 하고 억울하기까지 했다. 연극을 할 때 각본도 감독도 모두 학생들이 맡고 지도 교사 밑에서 자율적으로 한

다더니 혹시 애가 그 극을 썼거나 아니면 감독을 한 것은 아닐까 생각하며 팸플릿에서 감독과 작가의 이름을 찾아보았지만 그 곳 어디에도 딸아이의 이름은 없었다. 집에 돌아와 늦은 밥상을 차리는데 아이가 왔다.

"엄마! 아빠! 나 잘했지요? 그 마지막 탁구공, 무대 뒤에서 내가 친구하고 던진 거예요"

우리 부부는 서로 쳐다보며 웃을 수밖에 없었다. 하지만 웃음으로 포장한 내 속 마음은 벌레를 씹은 기분이었다. 하늘을 무너뜨린 게 아니고 하늘만큼 솟았던 어미의 꿈을 무너뜨렸다는 것을 녀석이 알리 있을까?

그딴 역을 맡았다고 바쁜 사람 오라 가라는 것은 무엇이며, 그 동안 호들갑은 또 뭐란 말인가? 쌜쭉해진 나는 '에크, 인물 났다'를 속으로 몇 번이고 되뇌었다. 입만 열면 아이의 자존심을 건드릴 말이 튀어니올 것만 같아서 입을 꾹 나물고 열심히 저녁을 먹고 있는데 아이가 진지한 얼굴로 연습할 때의 기쁨이며, 연극이 끝난 뒤의 감격 등을 이야기 하는 것이었다. 순간 부끄러워지고 말았다. 작은 부분을 맡고 감격하여 열심을 낸 저 아이가 얼마나 큰 역할을 한 것인가. 생색나는 역할만 생각했던 나의 마음을 돌아보게 한 것이다. 무대 뒤에서 그 극 전체를 위하여 또 관객인 우리를 위하여 얼마나 정성으로 공을 던졌겠는가?

큰일이든 작은 일이든 그것이 사회를 구성하는데 도움이 되고 구성원들이 어우러져 하나가 되고 사회사업이 확장 된다면 무엇이 크고 무엇이 작다 할 수 있겠는가. 작은 일에 충실한 자라야 큰일도 성실하게 감당할 수 있다고 성경에도 나와 있지 않는가. 오히려 작은 부분을 맡고도 저 아이처럼 감격할 수 있는 순수함으로 살아간다면 얼마나 좋을까.

그 극 전체는 망쳤을지라도 소실이 없는 내 아이가 주역을 맡았다면 흐뭇해 했을 내 이기심을 들킨 것 같아서 쑥스러워졌다. 지혜가 부족하면서도 내가 아니면 안 될 것 같아 고집부리며 열심을 냈던 일들이 혹 다른 사람의 재능이 발휘될 수 있는 기회를 막지 않았나 가슴 뜨끔하게 했다.

'하나님 용서하여 주옵소서. 한 달란트 받고도 땅에 묻지 않고 기쁘게 활용할 수 있는 저 아이와 같은 슬기롭고 충성된 종의 자세로 살게 하시고 받은 은사만큼만 살게 도와주소서.'

잠시나마 스타배우와 감독 그리고 극작가의 자리를 넘보았던 교만한 어미를 회개 시킨 줄도 모르고 밥상에 앉아 연신 재잘거리고 있는 딸내미가 예쁘고 사랑스러워 밥 먹다 말고 딸내미의 등을 연신 도닥거려주었다.

카드에 쓴 글

Y 권사님으로부터 전화가 왔다.

토요일 저녁 초대였다. 초대하신 목적을 알고 싶었으나 묻기가 그래서 전화를 끊었다. 몹시 궁금하던 터에 저녁 무렵 Y권사님의 며느리로부디 다시 전화가 왔다.

"사실은 어머니 회갑이셔요. 잔치를 해드리고 싶은데 마다 하십니다. 그렇다고 식구끼리만 보내자니 너무 적적 할 것 같아 어머니께서 초대하시고 싶으신 분들을 부르시면 저녁을 준비하겠다고 말씀 드렸더니 겨우 두 가정을 말씀하십니다."

회갑잔치조차 하실 수 없게 외로우신 시어머니를 대하기가 민망스러운 며느리의 마음이 전화기를 통하여 물어왔다. 가슴이 아팠다. 미국에 오신지 오륙 개월 정도 되신 듯한데 회갑을 맞으신 것이다. 한국에서는 인천에 있는 큰 교회를 개척할 때부터 섬겨 오시다가 이민 오셨다. 사업을 하셨다는 바깥어른께서 미국에 오니까 전화기가 조용하고 찾아오는 사람이 적어서 좋다는 농담을 가끔씩 하셨다. 그 속에는 분명 외로움 반 농담 반이 섞여 있음을 직감할 수 있었다.

사실 권사님의 고국 생활은 너무 바쁘셨을 것이다. 자애로우시고 남을 먼저 생각해주시는 인품과 편안하게 해주시는 부드러운 미소, 이런 사랑으로 인하여 권사님을 찾아오는 사람이 많았을 것이다. 만나면 그냥 기뻐서 오는 사람, 아픈 마음을 호소하려는 사람, 답답한 일에 해결을 얻고 싶은 사람, 궁한 것을 채우고 싶은 사람, 사람 사람으로 둘러싸여 외로움을 모르고 사셨으리라.

그런데 이국 생활에서 그런 즐거움을 잃어버렸으니 노후가 얼마나 적적하셨을까. 언젠가 앉아 계신 자리 옆으로 다가가 외롭지 않으시냐고 넌지시 여쭈어 본 적이 있다. 주위에 사람이 없으니 하나님과 더 가까운 생활이 되어서 기쁘다며 외로운 웃음을 흘리셨다.

고국에서 회갑이라면 얼마나 많은 사람들이 법석될 것인가. 정다운 분들이 얼마나 많은 축하의 박수를 보내주셨을 것인가. 자신의 온 생애와 함께 두고 온 조국에는 많은 사랑하는 얼굴들과 삭히지 못한 정을 생각할 때마다 눈물을 글썽이며 무척이나 그리워했을 것이다.

지난 주일에도 저만치 앉아 계시는 권사님을 멀리서 눈인사만 나누었는데 달려가 손잡아 드리지 못한 것이 마음에 자꾸 걸렸다.

며느님과의 전화를 끊은 다음 서둘러 나가 예쁜 카드 한 장을 사왔다. 그리곤 카드 위에다가 그 분을 향한 아린 마음을 적어갔다.

권사님의 회갑 초대 받던 날 옛 이야기가 생각났습니다.

시골에서 다정한 두 친구 분들이 살았었는데 한 분이 자손들을 따라 먼 곳으로 이사를 가셨답니다. 남아 계신 한 분이 회갑인데 문맹이라 초대 편지를 쓸 수가 없었답니다. 궁리 끝에 할아버지는 하얀 종이 위에 소 다섯 마리만 그려 보냈더랍니다. 얼마 후 역시 문맹이신 친구 분에게서 답신이 왔었는데 싱글벙글 하며 감 세 개가 그려져 있는 종이를 보여주시더랍니다. 그 그림을 본 옆 사람이 의아해 하자 이렇게 설명을 하더랍니다.

"내 생일이니 오소(소 다섯 다리로 오소!)"라는 뜻이고 감 세 개는 "자네 생일에 감세"라는 뜻이라고.

이 이야기를 생각하면서 권사님 마음을 헤아려 보았어요. 소 다섯 마리 만큼이나 소중한 언어로 초대하고 싶으시고 소 다섯 마리 값을 치르더라도 만나고 싶은 벗들이 많이 있으실 텐데……

부디 권사님의 고희 때에는 반가운 얼굴들로 온 집 가득하고 저 흰 오직 감 반쪽만한 자리 감당하면서도 기뻐하시는 그 얼굴 뵐 수 있어서 흐뭇해지기를 원합니다.

꼭 가겠습니다.

그 같은 미소가

먼 곳에 있는 가족이 집으로 돌아오는 계절이다. 자기 살기도 바빠 이웃은커녕 일상 밖의 모든 생활은 관심을 갖지 않고 살아가다가, "응, 나 말고 다른 이들도 주위에 살아있구나."하며 허리 펴고 한번쯤은 돌아보는 성탄의 계절이기도 하다.

겨울밤이 추우면 추울수록 벽난로의 열기가 더해 가는 계절이 오면 되살아나는 사건이 하나 있다.

그해도 성탄을 일주일 남겨놓고 기분이 들떠 있었다. 멀리서 공부를 하고 있는 막내 시누이가 오는 그날 밤은 기분이 최고조에 달해 있었다. 밤 11시에 공항에 도착하는 시누이를 데리고 집으로 왔을 때는 자정이 훨씬 넘은 시간이었다. 어머니께서는 막내를 위하여 장만해 둔 음식들을 그 밤중에 먹이시기에 바쁘셨다. 웃고 떠들며 헤어져 있는 동안의 변화와 있었던 이야기들로 시간 가는 줄 모르고 있는데 전화벨이 요란하게 울렸다.

서둘러 수화기를 들었다. 경찰서에서 걸려온 전화였다. 가게 벽을 누가 총으로 쏴 깨졌다는 연락이었다. 가게는 가운데 유리 출입문을 중심으로 양옆으로는 출입문 두 배 크기의 통유리 벽이 네 쪽으로 되어 있었다. 그것들이 깨진 모양이다. 남편이 발딱 일어나서 나가려는 것을 온 식구가 줄줄이 따라 가려고 성화를 했다. 어린 아이들에게 그런 장면을 보여주면 좋지 않을 것 같아 어머니와 막내 아가씨에게 아이들을 부탁하고 남편을 따라 나섰다. 급히 차를 몰았다. 집에서 가게까지 20분정도 서로 아무 말도 하지 못하고 있었다. 마음속에 이어지는 생각들은 두려운 상상이었다. 유리가 얼마나 깨졌을까? 무엇을 훔쳐갔을까? 만약 그랬다면 손님들에게는 어떤 보상을 해주어야 하나? 정적이 주는 고요는 이런 상상을 떨쳐버릴 수가 없었다.

떨며 당도한 가게에는 빨간불 파란불 돌고 있는 차 속에서 경찰이 기다려주고 있었다. 길 가다가 경찰차의 그런 불빛을 볼 때는 혹 내가 무슨 잘못을 했나? 점검하며 조심스럽게 그 옆을 지나가곤 했는데 그날의 불빛은 참으로 편안함과 안도감을 주고 있었다. 가게 앞으로 뛰어가 살펴보니 네 개의 벽 중에 한쪽이 깨져있었다. 가게 안으로 누가 들어갔던 흔적은 찾을 수가 없어서 일단 안심을 했다. 유리창이 깨진 원인을 살펴보니 크리스마스 추리를 만들어 놓고 맨 꼭대기에 별을 하나 매달아 전기 스위치와 연결하여 반짝반짝하게 빛을 발하게 해놨던 게 동네 개구쟁이들의 눈에 띄어 그것을 과녁 삼아서 총을 쐈던 모양이다.

가게에 들어가서 24시간 서비스를 해주는 유리가게에 전화를 하고 깨이진 유리들을 대강 치우기 시작했다. 놀랍게도 유리가게 사람들이 20분도 못미처 큰 합판을 들고 뛰어왔다. 워낙 큰 유리라 특별 주문을 해야 하니 며칠 동안은 합판으로 가리고 있어야 한다면서 걱정해 주었다. 그들에게 가족과 같은 친근함을 처음으로 느끼는 순간이었다. 뭐라도 좀 대접하고 싶었지만 한밤중이라 아무것도 없었다. 유리가게 사람들과 남편이 서로 도와가면서 합판으로 깨진 유리를 대신하고 이마에 땀을 흘려가며 바닥을 청소하고 있을 무렵 옆 도넛가게 직원들이 일을 하러 오기 시작했다. 새벽 3시, 진열대 위에 있는 맛있는 도넛을 사먹기는 했지만 이렇게 일찍부터 수고하는지는 몰랐다. 흉하게 합판으로 벽을 가린 것을 보고들 걱정을 해주고 철부지 노릇하는 애들을 한탄하는 이야기를 했다.

얼마나 시간이 흘렀을까. 도넛가게 아저씨가 컵과 커피팟을 들고 나와서 우리 때문에 일찌감치 커피를 내렸노라며 추운데 마시고들 하라고 했다. 그리곤 열심히 일을 하며 항상 웃음을 잃지 않는 우리를 이웃으로 둔 것을 자랑스럽게 생각했다고 격려의 말까지 하는 것이 아닌가! 체격도 좋고 잘난 인물에 항상 자신의 일만 열심히 하는 사람이라 인사 한번

제대로 하기 어려운 도도한 사람으로 알고 있었다. 사실 태어나면서 사용하던 말이 아니고 문화가 틀린 곳에서 살다보니 사람을 덥석 사귀기가 쉽지 않았다. 더군다나 훤칠한 키에 빼어난 인물이며 밀수가 적은 심각한 표정을 한 사람들은 더더욱 그랬다. 옆집 아저씨가 그런 사람이었다. 도넛이나 커피를 사러 가더라도 될 수 있는 대로 그 아저씨가 아닌 다른 사람 서비스를 받기를 원했었다. 그러던 사람이 손수 커피를 끓여가지고 와서 대접하며 격려까지 하다니 완벽하고 도도하게 생긴 사람이라 우리하고는 뭔가 다른 생각을 갖고 살아가고 있는 줄로만 알고 있었는데 그도 성정이 같은 사람이라는 게 여간 반가운 것이 아니었다. 어린아이들이 자기 선생님은 변소도 안가는 줄 안다는 말이 있는데 이해가 갔다.

그러고 보니 쨍그랑 소리와 함께 깨진 것은 단지 가게의 유리벽만이 아니었다. 옆집 사람과 우리 사이에 있는 듯 없는 듯 존재하고 있었던 두꺼운 벽이 깨진 것이다. 어둡고 두려웠던 그 밤을 따뜻한 커피와 함께 미소가 녹여주고 있었다.

사자 굴

　장난이 아니었다. 박진감 넘치는 이야기를 듣고 있는 것은 더욱 아니다.

　한밤중 열두 시를 넘어 걸려온 두 번째 전화를 받을 때만 해도 이 녀석이 이젠 안전하게 집으로 돌아오고 있을 거라는 생각으로 별생각 없이 전화를 받았다. 그런데 수화기를 귀에 대자마자 들려오는 안타까운 목소리는 내 가슴을 서늘하게 했다.

　"엄마, 아무리 찾아봐도 차가 안보여요. 누가 가져간 게 분명해요"

　전화기를 던지듯이 남편에게 넘겨주고 주섬주섬 옷부터 갈아입고 있었다. 없어진 차가 문제가 아니었다. 딸아이가 굶주린 맹수들 앞에 쪼그리고 앉아 있는 작은 토끼처럼 위험하기 짝이 없는 그곳에 혼자 있을 거라는 생각에 심장이 멎는 듯 했다.

 이 밤중에 거기까지 가자면 한 시간은 남짓 걸릴 거리이다. 그 아이를 향해서 가는 것 밖에 딴 도리가 없었다. 긴박한 상황에 취할 수 있는 일은 이렇게 무기력하기만 했다.

 딸아이는 아침 일찍 샌프란시스코에 가야 했다. 러시아워 때 대도시에 차를 갖고 들어가느니 차라리 집과 샌프란시스코 중간까지 오는 전철을 이용하는 것이 시간도 절약되고 주차 문제도 편리하리라 생각되어 전철을 권했다. 그래서 아침 7시에 그곳 전철역에 차를 세워놓고 일을 다 보고 오는 길이었다. 그간 보지 못했던 고등학교 때의 단짝까지 만나 저녁을 같이 먹고 늦게 출발한 게 화근이라면 화근이었다. 일찍 좀 다니라고 그렇게도 일렀건만 밤 11시에 전철을 타면서 선심이나 쓰듯이 전화하여 자기가 타고 오는 것 뒤로도 두 차례나 올 수 있는 전철이 있다며 큰소리를 치던 아이였다.

 나는 조급한 마음에 차 세워 놓은 곳에 도착하거든 전화하라 당부하였지만 텅 빈 전철 안에 혼자 앉아 있을 생각을 하다가, 혹 나쁜 사람이 같이 타면 어떡하나 하는 방정맞은 생각으로 잠도 못자고 있는데 잘 도착하였다는 전화가 걸려 온 지가 20여 분 지난 후였다. 그동안 주차장을 돌아다니면서 차를 찾아보았지만 찾지 못하자 결국 전화를 걸어 온 것이었다.

 침대에서 발딱 일어나 전화를 받던 남편도 옷을 갈아입었다. 둘이는 우선 손을 잡고 기도를 했다. 무사하게 지켜주실

것과 무슨 일을 만나더라도 정신 잃지 않고 침착하게 해주시
라는 짧고 간절한 기도를 했다.

굳게 입을 다물고 비장한 표정으로 운전대를 잡은 남편의
옆자리에서 911로 전화를 했다. 우리 딸을 한 시간만 보호해
달라고 밀하니 거절했다. 비상사태가 일어나지 않아서 출동
할 수 없노라고. 다시 사정을 했다. 그럼 우리가 빨리 가야하
니 에스코트를 좀 해달라고, 그러나 그것도 거절당했다.

이 세상에 잡고 있었던 모든 줄들이 툭툭 끊어지는 것 같
은 느낌이 들었다. 몸이 떨려 왔다. 다리가 후들후들, 팔도
와들와들 거렸다. 그러면서도 나도 모르게 내 마음 저편 구
석에서 돌아 나와 입안으로 굴러 떨어지는 가락 하나 '신실
하신 하나님 실수가 없으신 좋으신 나의 주'라는 기도가 쏟
아져 나왔다. 운전하던 남편이 떨고 있는 내 다리를 와락 잡
으며 "이 사람 정신을 좀 차려! 목소리를 왜 그리 떨어 이 사
람아"하며 나를 달랬다.

스무 살의 내 사랑스러운 아이가 혼자 우범지대인 전철역
에 있으니 정신이 온전하겠는가. 안전한 주택가에서도 실종
사고가 났다고 전단지를 돌리며 안타깝게 다니는 것을 본 적
이 있었는데, 남의 이야기가 아니었다. 누군가 어려운 내 아
이의 이 한 시간을 안전하게 보호해주기만 한다면 죽을 때까
지 하루도 빠지지 않고 그를 찾아가 큰 절을 올릴 수도 있을
것 같았다. 한편으로는 우리 가족 중에 누군가가 감당하여야
할 일이라면 저 아이가 아닌 나이기를 얼마나 간절히 기도하

였는지 모른다.

　다시 아이에게 전화를 했다. 지금 가고 있으니 한 시간만 잘 견뎌봐라. 배터리가 다 죽을 수가 있으니 5분마다 전화를 하지고 했다. 자신 있는 소리로 배터리는 충분 하다고 했다.

　"그럼 계속 이야기를 해도 되겠구나. 아가! 사람이 있는 곳으로 가거라."

　"아무도 없어요."

　"몸 숨길만한 곳은 있니?"

　"엄마 내가 오늘 바지를 샀어요." 엉뚱한 소리다. 대답하기가 싫은 모양이다.

　"아가! 그러지 말고 모든 상황을 숨김없이 이야기를 해다오. 앞으로 일어날 일까지, 혹 어려운 일이 생기더라도 같이 생각을 해야 한다. 알았지? "

　"예, 알았어요. 그런데 몸을 숨길 수 있는 곳은 아무데도 없어요."

　"그래, 무섭니?"

　"네, 많이 무서워요."

　"우리가 빨리 가마."

　"죄송해요. 늦게 출발해서."

　"아니다. 이 년 동안 못 보았던 네 단짝이 얼마나 반가웠겠니."

　"이제부터 일찍 다닐게요."

　"그래라 좋은 생각이구나."

"엄마 너무 너무 무서워요. 실은 아까부터 내 앞 저만치 떨어진 차 속에서 어떤 사람이 나만 쳐다보고 있어요!"

"그래! 전화를 끊지 말고 될 수 있는 대로 무서워하는 표정 보이지 말고 크게 이야기해라. 그리고 무슨 차며 차번호를 말해보아라."

"포드 파란색 세단이에요."

"번호는?"

"2TCXXXX번이에요."

"운전수 인상은? "

"삼십 정도 백인이에요 곱슬머리에 안경을 끼고 가는 얼굴에 콧수염이 있어요. 지금 눈물이 많이 나와요."

"아가! 내가 다 적고 있다. 눈물 닦는 모습을 보여주지 마라."

"알았어요. 지금 몸을 움직이고 있어요. 공격을 해오면 뒤에서 못하게 벽에 가서 기대려고요."

"잘 생각 했구나."

"엄마! 엄마! 차가 움직이고... 가요! 가고 있어요!"

"그래, 아가야 승리를 했구나."

"엄마 그 차가 갔어요. 엉 엉 엉 "

참았던 울음을 아이가 쏟아 놓는다. 운전하고 있는 남편도 한손으로 자꾸 눈물을 훔쳐내고 있다. 수없이 다니던 그길, 깊은 밤 차 한 대 보이지 않는 깨끗한 고속도로가 눈물 때문에 희미하게 비쳐질 뿐 아니라 낯설고 아득해 보였다. 반쪽 얼굴을 하고 중천에 떠있는 달은 하나님의 명령으로 우리를 지키고 있는 파수꾼 같은 느낌을 주고 있어서 한껏 떨리는 마음에 약간의 안도감을 주었다. 우리의 생활에 뭐 특별한 일이 있다고 핸드폰씩이나 갖느냐. 헛돈을 쓰는 거라고 늘 반대하던 전화기를 몇 달 전 남편이 우기고 장만하더니 이렇게 요긴하게 쓰고 있다고 생각하니 여간 다행한 일이 아니었다. 나는 오른손 안에 들어있는 보석보다 더 귀한 그것을 다시 한번 꼭 쥐어 보았다.

한바탕 울고 난 딸내미. 다시 이야기를 시작했다.

"엄마 차를 잃어버려서 미안해요."

"걱정 말아라. 보험에서 해결해줄 것이다. 그리고 그것은 네 탓이 아니다. 누구나 잃어버릴 수 있다."

"엄마 고마워요."

"뭐가?"

"늘 말해주었잖아요. 어떤 일이 생기더라도 거기 그 자리에서 할 수 있는 최선이 무엇인가 생각하라고요. 지금 그것이 도움이 되었어요. 그래서 기도하고 집으로 전화 했어요."

"내 강아지, 참 잘 했네."

"엄마 지금 마지막 전철이 도착했어요."

"사람들 많이 내리니?"

"아니요. 네 사람 아니 다섯 사람이요. 모두 바쁘게 자기 차로 가는 모양이네요. 어머! 한 사람이 가다가 돌아 봐요. 안가고 서 있어요."

"안심해라. 하나님께서 네 털끝 하나 다치지 않게 보호하실 것이다."

"나를 보며 징그럽게 싱긋 웃네요. 어디쯤 오세요?"

"산 고개 올라간다. 이 고개만 넘으면 된다."

"내가 태권도 할 수 있는 것 아시지요? 혹시 저 사람이 공격을 해오면 싸워서 시간 끌 테니 조심해서 오세요."

딸내미의 태권도 실력은 초등학교 때 잠시 배워 고작 파란 띠였지만 이 시간에 그것을 생각해 내고 자신 있게 말할 수 있는 그 마음이 눈물나게 고마웠다. 딸내미의 침착한 말에 잠시 내 눈길은 두 손으로 운전대를 움켜잡고 창문 너머로 날카롭게 눈길을 꽂고 있는 남편의 옆얼굴을 향하다가 그가 내고 있는 속도 판을 보니 110마일(약 175km)을 넘게 달리고 있는 것이 아닌가! 제한속도 65마일(약105km) 지역에서 말이다. 순간 무슨 일이 생기면 아이에게 가는 시간이 지체될 것만 같은 생각이 후다닥 들었다.

"여보! 차라리 1,2분 늦게 갑시다. 속력을 좀 줄여요."

다시 "그 남자가 5m쯤 떨어진 곳에서 계속 서 있어요." 하는 딸내미의 목소리가 들렸다.

"생김새를 말하여라."

"머리는 빨간물을 들인 이십대 중반쯤 되어보이는 남자예요. 귀걸이는 세 개씩 달았어요. 오른쪽 팔 아래쪽으로 빨강, 파란 문신을 어지럽게 하였어요."

"알았다."

딸내미는 사자굴 속의 다니엘이요 배고픈 닭의 부리 앞에 흩어져 있는 한 알의 좁쌀이었다.

"엄마! 가네요. 오!"

"잘 됐다. 또 승리구나."

"저쪽에서 시동 거는 소리가 들리네요."

"내가 뭐랬어. 아무도 너를 해하지 못하게 하실 거라 했지."

"오 마이 갓 엄마! 그 차가 이리로 오고 있네요."

"아가! 내 강아지야! 침착해야 한다. 네가 말했잖아. 너 태권도 할 수 있다고 방어의 마음을 갖고 방어의 자세를 취해라. 그리고 알고 있지? 어떻게 해야 된다는 것."

"엄마, 차번호는 HUXXXXX번, 하얀색 아큐라 걱정 마세요. 최선을 다할게요. 차에서 사람이 내려 이쪽으로 걸어오네요."

아가! 나도 그 차가 보인다. 지금 아빠가 빨리 달리신다."

어느새 우리는 주차장 안에 들어와 있었다. 담 가까이에 차 한대가 불을 켠 채로 서 있는 모습이 눈에 들어 왔다. 어찌 그리 주차장은 넓게만 느껴지는지. 나도 모르게 나의 왼손이 남편 얼굴 앞에 있는 운전대로 올라가서 크락숀을 빠앙 빠앙 빠-앙 눌러대고 있었다.

'우리 딸에게 손대지 마라 요오-놈' 하는 마음의 소리와 함께. 사람 하나가 후닥닥 불 켜진 차에 오르는 것이 보였다. 아이가, 내 사랑스러운 딸아이가 포동포동한 달음질로 우리를 향하여 달려오는 것이 보였다.

생명줄 같이 움켜쥐고 있었던 전화기가 사명을 다하고 맥없이 차 바닥으로 탁 하고 떨어졌고 내 입에서는 '지켜주셨음을 감사합니다.' 라는 소리가 새어나오고 있었다.

큰 축복

　나에게는 참 포근한 친구가 있다. 그녀하고 있으면 저절로 편안해 진다. 아니 편안해 지는 정도가 아니라 그녀의 편안함이 묻어나와 나도 누군가를 편안하게 해줄 수 있을 것만 같은 생각이 든다.

　아무리 수다를 떨고 헤어져도 뒤가 찜찜하지 않다. 교양 없이 굴어도 그녀는 언제나 미소로써 즐겁게 대화를 이끌어 낸다. 어쩔때 나의 단점을 하소연 하기라도 하면 그녀는 되려 장점만 찾아내 준다. 무엇보다도 누구를 헐뜯고 싶어도 대꾸를 하지 않아 다른 이를 험담할 수가 없다. 그렇게 그녀는 천사처럼 늘 나를 편안하게 대해 준다.

　하루는 정말 그냥 보아주기 힘든 사람의 거슬린 행동을 말할 참이었다. 아니나 달리 평소 때처럼 그녀의 습관이 또 나왔다. 나는 화가 났다. 그래서 큰소리로 말을 했다.

"아니, 친구는 밸도 없어? 자존심은 어디다 둔거야? 정말 진심에서 나온 거야?"라며 마구 퍼부어댔다. 그러고 난 후 그녀의 반응을 기다리는데 그녀는 얼굴에 기쁜 미소를 지으며 말을 한다.

"이제는 내가 오랫동안 가슴에 담고 있었던 주홍 글씨 같은 이야기를 해도 되겠네."하는 게 아닌가! 의아해 하며 귀를 기울이고 있었다. 그녀가 지난 일을 가볍게 이야기하기 시작했다. 그녀로부터 지금까지 타인의 부정적인 이야기를 들어본 기억이 없기에 더욱 호기심이 갔다.

오래 전 결혼 초기 20년도 훨씬 지난 이야기라며 운을 뗀다. 한국에서 홀홀 단신으로 오직 남편 하나만 믿고 미국으로 온 그녀는 외로운 생활로 눈물 짓는 날이 많았다고 했다. 그것을 본 남편은 가까운 동네 사는 친구들끼리 만나는 모임 하나를 만들어 주었다. 그 모임은 한 달에 두 번씩 토요일에 만났는데 외로움을 달래는 데는 더없이 좋았다. 차츰 그룹이 커져 고만한 또래 사람들이 많이 모이자 각자 개성들이 나타났었는데 그 중에 K라는 여인이 사람들과 어울리기 어려운 성격의 소유자였다. 그래서 만나는 사람마다 충돌을 해서 K를 아는 사람들은 아예 가까이 하지를 않았었다고 한다.

그러자 K는 점점 더 외로워지고 새로 오는 사람에게 친절과 물질 공세로 마음을 뺏어오기는 하나 얼마 못가서 쌈질로 관계를 끊는 일을 반복하였다. 그러는 가운데 그녀와 동향이라며 호감이 가는 L이라는 여자가 다른 지역에서 이사를 왔었다. 외로운 K는 당연히 L을 가깝게 하기 위하여 다시 물질 공세를 동원했다. 자연히 그녀는 L을 보호해주고 싶은 마음이 들어서 K라는 여인의 신상에 대해서 자세한 정보를 귀뜀해주게 되었다.

그게 바로 화근이 되었다. 그때까지만 해도 K는 그녀와 부딪치는 일이 없었다. K 딴에는 그녀를 상당히 인격적으로 존경하고 있었다. 그녀는 노발대발한 K에게 사과를 해야만 했고, 편지로 반성문을 쓰듯이 일생일대의 실수를 했노라고 거듭 거듭 용서를 빌었다는 것이다. 그 후 K는 사과를 받아 준다고 했고 그녀는 그걸로 일단락 된 줄로 알았었다. 그러나 마주치면 냉랭한 K 앞에 죄인 같이 서있는 그녀, 항상 고개가 숙여지고 부끄러울 수밖에 없었다고 했다.

세월은 흘러 2년이 좀 넘은 어느 날, 생각지도 않게 K에게서 집에 초대 한다는 연락이 왔더란다. 껄끄러운 관계가 이번 기회에 청산이 될 줄 알고 쾌히 간다고 약속을 했었다. 예쁘게 차려 입고 유명한 제과점에 가서 제일 맛있는 케이크와 꽃다발까지 기쁨으로 준비하였다. 드디어 시간이 되어 갔는데 의외로 그녀의 손위 시누이 부부와 시동생 내외까지 와 있더라는 것이었다.

어느새 자기 가족들이 K랑 가까워 졌나보다 생각하며 잘 차려진 저녁을 먹고 설거지도 거들어 주었는데 후식으로 그녀가 사간 케이크를 자른 후에 사건은 터지고 말았단다. K는 다시 옛날 이야기를 시작하며 순식간에 노여운 얼굴이 되어 발광을 하더라는 것이다.

아— 여자가 여자가 한을 품으면 정말 오뉴월에 서리가 내리는 모양이었다. 그녀에게 다짜고짜로 다시 사과를 하라고 하더란다. 결국 시누이 내외, 손 아래 동서 내외 그리고 남편이 지켜보는 앞에서 기어코 다시 무릎을 꿇고 2년 전의 일을 다시 반복하였다는 것이다. 기가 막혀서 울음도 안 나오너니 돌아오는 길 운전만을 묵묵히 하고 있는 남편 옆에서 죄인처럼 고개를 떨어뜨리고 앉아있는데 갑자기 어릴 때 수차례 들었던 아버지의 음성이 들리더라는 것이다.

"이 세상에서 제일 수치스런 여자는 물 막음(말싸움에 휘말리는 일)대로 다니는 여자란다" 하시던 말씀이 떠오르더라는 것이다. 그녀는 그때서야 울음이 터져 나왔고 옆에 계시지도 않은 아버지께 잘못 했다는 말만 거듭하면서 집에까지 왔다했다. 그 후로 그녀는 20년 가까이 사람을 만나면 장점만 보는 훈련을 시작했다고 한다. 처음에는 어려웠지만 차츰 아무리 거슬리는 행동을 하는 사람에게도 칭찬을 해줄만한 부분을 몇 개는 찾아낼 수 있었단다.

얼마 후 그녀는 그 도시를 떠나와 이곳에서 정착을 했고 자신을 힘들게 했던 그들을 만날 수만 있다면 고마웠노라고 말하고 싶다는 것이다. 사람들에게서 좋은 것을 잡아 낼 수 있는 눈을 갖게 해준 것이 바로 K라는 것이었다. 20년 동안 했던 훈련이 이제 결실로 이어졌으니 오랫동안 간직하고 있던 그 사건을 이제 가슴 속에서 지우겠다면서 기쁘게 웃었다.

　실수조차도 자신을 훈련 할 수 있는 기회로 쓸 줄 아는 멋진 그녀. 아픔이었을 그 속에서 아름다운 눈을 만들 수 있는 근원을 찾아낼 줄 알다니. 이야기를 마치고 홀가분하게 돌아가는 그녀는 나에게 그 아름다운 한 눈을 씽긋하며 경쾌한 발걸음을 옮기는 모습이 아장거리는 아이보다 더 순수하게 느껴졌다. 진정 복 있는 사람이다.

　그런 그녀를 내 친구로 두었다는 게 나로서는 큰 기쁨이다. 그녀가 받았던 아픔을 통해 나도 거저 아름다운 눈, 사람의 장점만을 볼 수 있는 눈으로 훈련을 하고 있으니 이보다 더 고맙고 큰 축복이 또 어디 있을까.

차 한 잔의 온기

　하늘이 종일 진회색의 구름옷을 벗어버리지 못하는 날씨였다. 눈 오는 지방이라 하면 눈 굽는 날씨라 하겠지만 이곳은 눈은 그림으로만 볼 수 있는 곳이 아닌가. 비가 내리기에는 좀 쌀쌀한 날씨지만 그렇다고 난방기를 자주 돌려줄 만큼 추운 날씨가 아니어서 집안에 있어도 찬 기운이 옷소매 속으로 스멀스멀 들어오는 기분 나쁜 그런 우울한 날씨였다.

　그녀는 차라도 한 잔 우려 추위를 몰아볼 심산으로 스토오브에 물을 올려놓고 있는데 현관 벨이 울린다. 문을 열자 다정한 친구 P였다. 근처에 왔다가 들렸다면서 찬 손을 맞잡으며 평소와는 다르게 수다까지 떨었다. 차를 끓이는데 다정한 친구라니 무슨 횡재냐 싶었다. 이럴 때는 전화 연락을 안 하고 불쑥 찾아온 것이 더 반가웠다. 둘이는 차를 앞에 하고 마주 앉았다. 정담이 오가고 기쁜 웃음이 피어나는데 P의 웃음

뒤에 숨겨진 그늘이 언뜻언뜻 그녀의 시선을 붙잡았다.

P가 말하길 십대의 딸내미가 보모가 싫어하는 배꼽 티와 배꼽이 보이는 궁둥이에 걸치는 바지를 사서 입고 돌아다닌다는 것이다, 부모의 마음을 몰라주고 흉한 옷을 입는 것과 헤픈 돈 씀씀이 때문에 한바탕 잔소리를 하다가 결국은 온 식구가 큰소리까지 치게 되었다는 것이다. 자신으로서는 도저히 이해해줄 수가 없는데도 되레 딸아이는 십대들의 생활을 엄마 아빠가 알기나 하느냐며 울고불고 하는 바람에 마음이 심란해서 외출 나왔다는 거였다.

옷차림 같은 걸 걱정하는 일은 그래도 행복한 고민에 속한다. 고등학교에서는 담배 같은 것은 오래전부터 문제 되었던 것이고 음주나 마약 등이 골칫거리 1위인 학교도 있다. 어떤 학생은 물병에 술을 담고 다니며 홀짝거리고 다닌다니 큰 일이 아닐 수 없다. 아무리 학교에서 단속을 한다하여도 시도 때도 없이 물병을 조사할 수도 없는 노릇 아닌가.

어둡고 두려운 부분을 들춰 내자면 한 둘이 아니다. 성인 사회에서나 염려 되어야 할 듯한 범죄들이 도사리고 있다. 그런 속에서 자라나려면 아이에게 작은 부분 한 곳이라도 흐트러지지 않게 자유를 허락하지 말아야 한다는 여론이다. 자유 분망한 학교문화와 가정 사이에서 갈등하고 힘들어해야 하는 아이들, 부모로서는 걱정이 아닐 수가 없다.

아이가 십대의 소설을 읽고 있기에 좀 보자 하였더니 우리 이야기가 아니라 미국 아이들 이야기라고 하는 말을 듣고 자신이 태어난 나라를 내 나라라고 말할 수 없는 그 아이가 안쓰러워서 끌어안고 도닥거려주었던 그녀.

이민자의 자녀들은 미국의 십대들과는 다르게 소속감 혼란이라는 문제 하나를 덤으로 안고 살아간다. 부모의 입장에서는 가슴 아픈 일이 아닐 수 없다.

그들은 아이들의 문제를 이야기 하며 걱정하다가 "우리 때에는 어땠었지?"하며 자신들의 십대를 돌아봤다. 몇 십 년 전이였으니 지금하고는 행동이 분명 다르겠지만 그때 자신들에게도 엉뚱하고 돌발적인 일들이 없었던 것은 아니었다. 그녀는 맹랑했던 자신의 이야기를 해주었다. 판탈롱이 유행하던 그 시절 얼마나 입고 싶었는지 부모님에게 참고서 값을 부풀리고 노트 값을 부풀리어 만들어진 돈으로 그것을 장만하였는데 부모님들이 보실까봐 자취하는 친구 집에 놔두고 거기 가서 갈아입곤 했던 이야기를 하였다. 그런가하면 학생 관람불가의 영화를 보기 위하여 언니의 블라우스를 훔쳐 입고 머리는 곱실하게 부풀려 빗고 극장을 갔던 경험을 이야기하는 두 여인은 허허 웃고 있었다. 그 시절 그만한 행동은 얼마나 도전적이었는가! 문제아나 불량소녀로 낙인찍히기에 충분할 만한 사건들이었다. 표면화되지 않았던 그 불량소녀들이 자라서 지금은 성실한 주부요, 큰소리치는 엄마로 살아가고 있지 않는가.

그만한 나이에 옷 입는 일쯤으로 부모 걱정 시키는 것은 정말로 아이의 말대로 대수롭지 않는 걸로 인정해주자며 그

들은 같이 웃었다. 그리고 '용돈도 온전히 주자고 했다. 그것
으로 무엇을 하든 상관 말자고 했다. 준다는 것은 돈을 관리
할 수 있는 권리까지 주는 것을 말하기에 지나치게 상관하지
말자고 의견을 모았다. 그렇지 않아도 이중문화 속에서 남모
르는 갈등을 하는 그들은 이해해 주려고 노력을 하는 부모가
뒤에 있다는 생각을 하면 훨씬 외롭지 않은 십대를 보낼 수
있지 않을까.

　자신들의 지난날을 돌아봄으로써 10대의 딸 대하는 마음
이 달라진 P. 들어올 때 심란한 마음은 어느덧 사라지고 산
뜻한 마음이 되어 '딸이 좋아하는 그 바지 하나 더 사가지고
들어가리라.'중얼거리고 있었다. 아직도 하늘은 똑같은 회색
빛이고 으스스한 한기를 공기 속으로 불어대고 있었으나 한
잔의 차가 덥혀준 몸은 더 이상 추위를 느끼지 않았다. 또한
차의 향기가 불러온 자신들의 젊은 날의 기억들은 딸내미를
포용하게 해주었다. 어서 가서 눈 퉁퉁 부어오르게 울고 있
는 딸내미를 위로해 주어야겠다는 생각에 서둘러 차문을 열
고 있었다.

산타가 주고 간 선물

　무엇이 빠진 듯 허전했다. 뭘까? 옆을 지나치던 발걸음이
주춤했다. 가까이 다가가서 보니 한자리가 텅 비어 있었다.
산타크로스가 보이지 않았다. 나는 그만 아연실색하고 말았
다. 요번 성탄 시즌에 옷걸이 여섯 개를 맞잡아 거느라 오그
라진 부분을 안쪽으로 가게하고 쭉 뻗은 쪽은 바깥으로 한
다음 둥글게 돌려 꽁꽁 묶고 한 쪽의 여섯 개의 각은 한꺼번
에 묶고 다른 한쪽은 자연스럽게 뻗어나가게 고정시켰다. 그
리하여 원기둥을 비슷한 육각의 뼈대를 만들고 초록색 비닐
을 잘게 잘라 긴 꼬리처럼 만들어진 크리스마스 장식품을 사
다가 차근차근 감아놓자 영락없는 크리스마스 추리가 되었
다. 예쁘고 앙증맞은 그것을 카운터 앞쪽 끝에 세워놓고 가
는 철사에 아기 발톱만한 크기의 많은 별들을 달고 있는 장
식품과 빨강, 파랑 섞어진 천으로 만든 귀여운 리본을 군데

군데 달고는 예쁜 천사 하나를 봉우리에 세웠다. 정말로 어디에 내놔도 빠지지 않을 상큼한 추리가 되어 마음까지 들뜨게 해주었다.

추리를 오며가며 보넌 손님까지 장식품을 하나하나 들고 와서 장식을 해주었다. 어떤 분은 초록색 모자에 금관을 쓰고 빨간 저고리와 파란바지, 또 검정 장화를 신고 긴 칼을 찬 호두까기 인형을 가져다 놓았다. 그리고 썰매와 사슴도 있었다. 그중에 내 마음을 가장 흐뭇하게 했던 장식품은 동그란 어항을 엎어놓은 것처럼 물이 꽉 채워진 유리 속에서 벽에는 12월 26일이란 일력이 걸려있고 그 밑에 만들어진 벽난로 앞 흔들의자에서 윗도리를 벗은 산타크로스가 입가에 미소를 띠고 쉬고 있는 풍경을 만들어 넣었는데 하얗고 작은 입자를 넣어 흔들면 눈송이가 나부끼는 것같이 내려오고 태엽을 감아주면 '고요한밤 거룩한 밤'을 물방울처럼 청아하게 소리 내는 뮤직 박스까지 붙어 있어서 얼마나 행복했는지 모른다.

사실 지금에서야 말하지만 눈가루 뿌려지는 것 같은 통과 뮤직 박스는 언제나 마음을 흔들어 놓았다. 그것을 볼 때마다 어린아이처럼 투명해지는 마음에 갖고 싶었다. 언제 큰마음을 먹고 사리라 벼르고 별렸지만 뜻을 이루지 못했었다. 아이들이 생일이나 크리스마스에 갖고 싶은 것이 있으면 말하라고 한다. 그때마다 이 두 가지 중 하나가 튀어나오려고 하는 것을 스스로 자제를 하곤 했었다. 엄마라는 체면 때문에 어린아이들이나 좋아할 물건이 웃음거리가 될까봐서 차마 입밖에 꺼내지 못하였다. 언제나 짝사랑하는 소녀마냥 가슴에만 담고 있었는데 내가 만든 추리와 어울린다고 생각했는지 어떤 손님이 가져다 논 것이다.

어찌 내 맘을 그리 잘 알았을까 고맙고 기뻤다. 일하다가도 생각이 나면 쫓아가서 태엽을 감아주고 맑은 물속에서 줄을 팅팅 튕기는 듯한 느낌의 멋진 멜로디를 들으며 발로 박자를 맞추는 등 기쁜 시간을 가졌는데 그 자리가 비어져 있었으니 서운하고 속상한 마음에 일할 생각조차 나지 않았다. 나는 갈피를 잡지 못했다. 다음에 그 손님이 왔을 때 놔둔 자리에 자신의 선물이 없어진 것을 보면 얼마나 실망을 할까?

거기다 놓아둔 것을 집어 가버릴 줄을 알지 못한 것이 내 불찰이었다. 한번도 그런 일은 일어나지 않아서 방심했던 게 잘못이었다. 심란한 마음에 별의별 생각을 해 보았지만 밀려 있는 일을 치우지 않을 수가 없어 바느질거리를 들고 앉았다. 실수의 연발이다. 뜯어야 할 땀을 놔두고 뜯지 말아야 할 곳을 손대고 있기도 하고 엉뚱한 자리를 재봉질 해놓고 다시 뜯어내야만 했고 이러다가 아예 잘못 자르기라도 한다면 비싼 양복을 물어줘야 하는 일이 생길 것 같은 느낌이 들었다. 그래서 바쁜 일감을 미뤄놓고는 가게 안을 왔다 갔다 하며 다시 생각을 해봤다. 아무래도 용납할 수가 없었다. 어떤 사람이 그것을 가져간 것일까? 원망의 마음이 수그러들지가 않았다. 절대로 고운 손 일리는 없다고 단정했다. 우악스럽고 거친 털이 많은 손일 거라는 생각이 들었다.

어릴 때 간첩은 언제나 색안경을 쓰고 다닐 거라는 생각을 하고 살았던 기억이 새롭게 떠오르더니 그때처럼 그런 우악스러운 사람이라는 생각이 들었다. 순간 이 나이에 어찌 그런 유치한 생각에 머물러 있다니 하는 생각이 들자 정말 내가 어른스러워지고 있었다. '그래 누가 집어 갔으면 어쩌랴' 싶었다. 가져간 사람은 나보나 아이 같은 사람이었기에 말도 없이 가져간 것이 아니겠는가 싶었다. 내가 장만한 것도 아닌데 그걸 너무 내거로 알고 집착했다는 생각이 들자 내 자신이 좀스럽다는 생각까지 들었다. 물건 주인이 나에게 잠시 맡겨 두었다가 꼭 필요한 사람을 찾아 주라 부탁했다면, 그 부탁이 그렇게 해서 적임자에게 갔다면 얼마나 잘된 일이겠는가!

내가 갖고 있는 것보다 더욱 행복한 마음으로 가질 자를 찾아내야 한다면 그야말로 어려운 일이 아닌가! 스스로 나타나서 가져가 주었으니 이런 좋은 일이 있으랴 싶었다. 더군다나 일주일 이상을 마음대로 태엽도 감아주고 눈가루도 이쪽저쪽으로 날려보고 멜로디도 들으며 눈을 감고 감상을 하였지 않았는가. 원망의 마음은 간곳이 없어졌다. 눈앞에 아른거리는 편안한 산타의 표정은 '이번 성탄절에는 너에게도 이런 휴식을 주고 싶다'라고 말하는 것처럼 생각되었다.

그렇다. 내게 필요한 것은 쉼이었다. 지금까지 앞만 보고 줄곧 달려왔으니 2004년 새해가 오기 전에 하루쯤은 쉬어주는 시간이 필요했다. 산타는 휴식의 선물을 가져와서 내 마음 안에 살짝 내려놓고 갔다. 손님 손에 들려왔지만 스스로 와서 누가 훔쳐 갔던 게 아니라 졸던 눈 번쩍 뜨고 앞에 있던 벽난로 굴뚝을 타고 또 누군가 절대 휴식이 필요한 자를 향하여 슬쩍 날아간 게 틀림없었다. 산타의 진정한 마음을 알아내자 그가 준 선물을 확실히 누리고 싶은 욕구가 생겼다.

25일 하루 쉬는 날에는 큰맘 먹고 결정했던 집 청소를 안 하기로 했다. 대낮에도 침대에 누어서 뒹굴뒹굴 종일 쉬며 주고 간 선물을 만끽해야겠다. 일감 앞으로 달려가는 가벼운 발길과 비례하여 휴식을 취할 수 있는 25일을 기다리는 내 마음은 포르르 기쁨으로 들떠 어느새 소중한 것을 잃어버리고 허전했던 마음은 찾아 볼 수가 없었다.

그녀이고 싶어라

　얌전하게 그러면서도 열심히 먹고 있는 그녀를 보노라면 없는 식욕도 저절로 일게 된다. 입을 크게 벌리고 가만 가만 발 박자 맞추며 찬양하고 있을 땐 모르는 노래라도 고개를 끄떡이며 따라 부르게 만든다. 그런가하면 침울해진 내 옆에 다가와 기분 나쁘지 않게, 어색하지 않게, 분위기 흔들어 기어코 침울한 기분을 빼앗아 버리는 힘, 그녀는 그런 힘을 가지고 있다. 남의 작은 장점을 찾아내어 우쭐하게 해줄 줄도 알고, 절망의 벽에 부딪혀 바닥에 주저앉아 있을 때, 조심조심 다가와서 저 위의 빛을 향하여 눈을 움직이게 해줄 줄 아는 그녀. 그러나 더 사랑스러운 것은, 하찮은 일로 생긴 얄팍한 자만심이 끝없이 올라갈 때 나직한 목소리로 겸손하게 해주는 그녀 앞에 서면 눈물이 난다.

　가까운 사람들이 모인 자리에선 의미 있는 웃음을 한번 빙

굿이 웃고 난 후, 쏟아져 나오는 그녀의 말에 웃지 않고는 배길 수 없다. 그녀는 분명 우리들의 신선한 바람이다.

불의를 보면 서슴없이 나서면서도 그 일로 혹여 누구에게 상처가 되지 않았나, 가슴 졸이는 것을 보면 그녀는 우리들의 포근한 눈송이다.

슬픔이 몰려올 땐 눈 가득히 채운 눈물로 반짝거리는 수정을 만들어 내는 그녀의 솜씨는 내 가슴 속 천사이다.

반백의 십대, 얼굴의 주름에게도, 세월에게도 빼앗기지 않는 젊은 마음을 가진 그녀에게 고관대작 부인들의 교양이나 고상함을 만들어 내라 하면 종달새에게서 노래를 빼앗은 격일 것이다. 하지만 그녀에게서는 도도함도 비굴함도 아닌 당당한 양반의 품위가 자연스럽게 풍겨 나오는 멋스러움이 있다.

흐르는 구름 속에서도 하나님의 손길을 읽을 줄 알고, 작은 새들의 지저귐으로도 감동할 줄 알며, 먹구름 속에서도 맬랑 꼬리 문화를 끌어낼 줄 아는 그녀는 정녕 무엇도 범할 수 없는 하나님에게서 온 분홍 바람임이 분명하다.

그 마음은 어떻게 생겼나 너무나 궁금하여 살짝 열어 보면 마음 바로 옆에 하나님께서 날마다 필터를 새로 바꾸어주시는 정화조 같은 기도의 창고가 놓여져 있음을 안다.

밥맛이 없는 사람, 가슴을 답답하게 하는 사람, 말거리를 궁하게 만드는 사람, 말이 통하지 않는 사람, 말 건네기 어려운 사람과 마주 할 때, 그녀의 마음으로 서보라. 어떤 조화를 볼 수 있을 것이다.

바쁘게 돌아가는 세상의 숲 속 산책로 의자, 언 손 녹이고 싶은 난로, 난로 속의 구수한 냄새 풍기는 군밤 같은 존재, 나는 그녀 곁에 있으면 늘 행복하다.

아, 지금 당장 나도 그녀이고 싶어라.

막내의 곤조

어릴 적 그는 실로 고집불통이었다. 여북해야 '곤조'라고 누군가가 별명을 붙여주었을까.

그런 성격은 아마 위로 죽 있는 형들과 누나들의 등살에 자연 생겨나지 않았나하는 추측이 되기도 한다. 9남매의 막내로 태어났으니 손이 흔한 집이라 할지라도 자식 사랑은 내리사랑이라 했고 보면 부모님들은 쥐면 터질세라 놓으면 흩어질세라 소중한 막내를 끔찍이도 애지중지 하였으리라. 그러다보니 언제나 자기 마음대로 고집을 부렸을 것이다. 아니 나이 차이가 나는 형제들은 제멋대로 구는 그를 개성이 강한 아이로 나중에 커서 한가락 할 것을 기대하며 그 성깔을 즐기었는지도 모를 일이다.

바로 손 위의 형과 저녁이면 쓰다버린 연습종이나 헌 종이 등을 이용하여 열심히 딱지를 만들었다. 그 딱지로 아침 일찍부터 딱지치기를 했다. 형이 비록 약골이기는 하였지만 두 살이라는 것이 자랄 때는 큰 차이가 나는지라 상대가 되질 않는 게임이었을 것이다. 결과는 질 수밖에.

주머니 불룩하게 들어 있었던 딱지를 하나 하나 잃어가기 시작하면 땡강 반 울음 반으로 형을 압박하기 시작했다. 그리고 끝까지 치다가 다 잃어버리면 숫제 주저앉아서 엉엉 울어댔다. 형 마음 또한 여린지라 울고 있는 동생을 보고 따낸 딱지를 들고 자리를 뜰 수가 없었다. 게다가 부모님이 그 모습을 보면 동생을 울렸다고 혼줄이 날 것이다. 아깝기도 하지만 동생이 만들었던 것을 노두 돌려주어야만 울음을 그치곤 했었다.

어머니 아버지께서 외출을 하시고 돌아오실 때는 맛있는 것을 사오시곤 하셨다. 고루 분배 하여주시면 우린 언제나 마파람에 개 눈 감추듯 빨리도 먹어 치우곤 했다. 그러나 어리기도 하고 아껴먹는 스타일의 막내는 두 다리를 펴 발을 맞붙여서 만든 성같은 공간 안쪽에 수북하니 모아놓고 있었다. 우린 옆으로 살살 다가가서 누가 먼저랄 것도 없이 "막내야 천정에 쥐 기어가는 것 좀 보아라"하면 과자 위를 파수하고 있던 눈동자가 고개를 들어 천정을 향하면 이때 형들과 누나들이 슬쩍 그것들을 집어갔다. 막내는 건드리지만 않으면 훔쳐간 줄도 모르고 보이지도 않은 쥐만 찾느라 신경을 썼다. 한 개씩 더 먹고 싶어서 시작한 장난이 귀여워서 이어지다가 앞에 놓여있던 사탕이 어지간히 없어지면 알아채고

단골인 땡깡이 나올 때는 어차피 돌려줄거면서도 달래곤 하였다. 그리 못살게 굴어 골탕을 먹이기가 일쑤였으니 그만한 성격을 갖은 것이 당연한 일일 것인데 우린 그를 곤조라고 불렀다.

어머니 아버지께서 모처럼 서울나들이를 하셨을 때의 이야기이다. 어머니는 막내 손을 이끌어 하루에 한 장씩 뜯어 넘기는 일력 앞으로 가서서 열 장을 넘기신 후 그 다음 장에다가 연필로 표를 해 놓으시며 돌아오실 날을 알려 주셨다. 이만큼 뜯어내면 오실 거라고.

부모님이 떠나신 다음날부터 막내는 아침에 눈을 뜨기만 하면 열심히 일력을 찢어냈다. 그 일이 평소 막내의 일이라 우린 신경도 쓰지 않았었는데 4-5일이 지난 아침 일력을 찢다말고 주저앉아서 펑펑 우는 것이 아닌가. 사연인즉 엄마, 아빠가 빨리 오셨으면 하는 마음으로 어떤 날은 두 장 어떤 날은 세 장을 뜯어내다가 그만 오실날 것까지 뜯어내고 말았던 것이다. 딴에는 오신다는 날이 자신의 실수로 달아나 버렸으니 못 오실 것으로 생각이 되어 방성대곡을 한 것이다. 형 중에 하나가 나서서 달래고 설명을 해 주었으나 이해를 시킬 수가 없어서 밥풀로 찢어진 종이를 다시 부쳤더니 비로소 울음을 그치게 할 수 있었다.

우리는 늘 걱정을 했다. '저 곤조가 자라서 어떤 가정을 꾸리며 살 수 있을 것인가?' 하고-.

얼마 전 결혼 하려는 조카 하나가 약혼자를 집안에 소개

시키는 기회가 있었다. 집안의 어른들이 덕담을 한마디씩 하는 순서가 되었다. 결혼 17년째 되는 막내 올케가 얼굴을 붉히며 "어른들 앞에서 죄송스러운 말씀이지만, 지금도 일하다가도 보고 싶고, 얼굴을 마주 대하면 가슴이 뛴다. 조카들도 아무리 오랜 세월을 살아간다 할지라도 우리같이 살아가라는 마음에서 하는 고백이다."라고 말을 했을 때 형제들로부터 박수를 얻은 것을 물론이요 무엇보다도 중년이 된 그가 우리의 기우를 깨고 예쁘고 성실한 아내와 오순도순 살아가는 모습이 여간 보기 좋은 게 아니다. 듬직한 아들과 사랑스런 딸까지 키워가며 조용하고 행복하게 살아가고 있다.

모처럼 우리랑 만난 막내는 누나와 매형을 대접하겠다고 식당으로 불러냈다. 분위기 있는 식당이라 아이들도 데려가질 않고 넷이만 갖은 오붓한 시간이었다.

본음식이 나오기 전에 나오는 음식으로 막내는 스프를 시켰고 나는 샐러드를 시켰다. 곁눈질을 해서 보니 조개를 갈아 만든 스프가 맛이 있어보였다. 옛날의 장난이 생각나서 "아가, 막내야 저 천정에 쥐가 기어간다."하였더니 "어디?"하고 능청을 떨며 말 대접을 해주었다. 이때다 싶어 스프그릇에 숟가락을 푹 담가 퍼다가 먹으니 막내 올케가 웃음을 참으려 입을 오그리며 고개를 숙였다. 그런데 점잖은 목소리로 "누나가 잡수고 싶었던 모양이네."라면서 재미 하나도 없게 제 그릇을 내 앞으로 밀고 내가 먹던 샐러드그릇을 가져가는 것이 아닌가. 그래도 제가 막내면 막내 티를 좀 내지 하

는 생각을 하면서도 의젓하게 살아가는 게 내심 흐뭇하기는
했었다.

식사를 끝낸 다음 주머니 사정이야 우리보다 낫겠지만 어
디 막내에게서 얻어먹을 수가 있겠는가. 화장실을 가는 것처
럼 살짝 나가서 계산을 해버렸다. 팁까지 두둑하게 줄 수 있
을 만큼 기쁜 시간이었다. 자리에 돌아와서 재미있는 이야기
로 시간 가는 줄을 몰랐다. 이윽고 일어서서 계산대로 간 막
내는 나를 돌아보며 고약한 인상이 되더니 왕년의 그 생떼가
나왔다. 식사 값을 자기가 지불하는 기회를 빼앗아 갔다고
가까이 있는 매형의 손을 잡아가서는 코를 씩씩 불면서 돈을
쥐어주고 있는 그를 보니 그제야 옛날의 사랑스러운 막내의
본모습이 돌아나와 웃음이 몰려왔다. 한걸음에 주차장으로
뛰어나가 차 옆에서 오랜만에 어린아이처럼 통쾌한 웃음을
마음껏 웃었다.

쓰러진 참나무

    지난 여름 열기가 기승을 부리는 8월의 어느 오후에 요란한 경찰차의 사이렌 소리가 일손을 멈추게 했다. 잠시 후 앰불런스 소리도 같이 울리고 소방차 소리까지 들리는 것을 보니 가까운 곳에서 사고가 난 모양이었다. 사고가 났다하면 이 세 종류 사이렌들은 삼중창처럼 꼭 같이 울며 뛰어 다녔다. 문 밖으로 나가 보았다.

    요란한 소리를 내고 달려왔던 차들은 길 건너 공원 주위에 세워져있고 사람들만 분주히 공원 안으로 뛰어 들어가는 것이 보였다. 그들이 향하고 있는 방향으로 시선을 옮기니 저만치에서 커다란 참나무 한 그루가 쓰러져있었다.

    나무가 서 있을 때는 차지하고 있는 면적에 신경을 쓰지도 않았었는데 누어있는 나무를 보니 공원 안에 그리 큰나무가 있었던가하고 놀랬다. 그런 나무가 가지마다 실하고 건강한 이파리들을 자랑하는 것처럼 달고 있었는데 큰바람도 없는 날 뿌리째 뽑혀져 넘어지다니!

참나무는 온 나라가 보호하고 있는 나무이다. 이 땅에 콜럼버스가 들어오기 전부터 인디언들과 함께 살고 있었다고 해서 주인으로 받들고 있다는 것이다. 그렇다 할지라도 보호하는 정도가 좀 심하다. 산등성이에서 야생되어지는 것이나 길거리의 가로수는 물론이요, 자기 소유지 안에 있는 나무라 할지라도 손을 델 수가 없다. 혹 벌판이나 야산들을 주택지로 허가받아 집을 짓기 시작할지라도 참나무가 있으면 다치지 않게 피해 가면서 집을 지어야만 한다. 뿐만 아니라 집안에 있는 나무가 건축물에 해를 줄 것 같아서 당국의 허가 없이 가지를 쳐주다가 신고라도 들어가는 날에는 영락없이 5000불까지 벌금을 내야한다. 한술 더 떠서 어떤 이는 앞마당에 있는 아름드리 참나무가 귀찮아서 날마다 나무에 해가 되는 약물을 조금씩 주자 몇 달 만에 시들시들 해 졌다고 한다. 나무를 관리하는 당국 직원이 어떻게 알고 나와 나무를 살려내지 못하면 벌금을 물어야 한다는 경고를 주고 갔다는 이야기를 들었던 적도 있다. 요상한 동네라는 생각도 들지만 들어온 돌이 박힌 돌을 뽑는 격으로 주인을 객이 해하려 하였으니 어찌 생각하면 당연한일 아니겠는가 싶기도 하다.

어쨌거나 공원의 나무는 누가 해를 준 것도 아닌데 멀쩡하고 청명한 날에 건강하고 실해 보이던 몸체가 갑자기 쓰러진 이유를 알 수가 없어서 고개를 갸우뚱하고 있었다. 마침 정원사로 오래 일하고 있는 나무 전문가 손님이 들어와서 건너편에서 벌어진 광경을 보고 설명을 해 주었다. 나무는 뿌리가 깊이 박혀야 한다고 했다. 나무의 뿌리는 물줄기를 찾아서 뻗어 가는지라 물이 흔하지 않는 척박한 땅에서 자라는 어떤 종류의 나무 뿌리는 수 십 미터가 되기도 한다고 했다.

앞 공원의 참나무는 혹 다른 이유가 있을 수도 있겠지만 스프링클러 장치가 되어 있어 아침 저녁으로 적당한 양의 물이 나오기 때문에 뿌리를 깊게 내릴 필요가 없었던 것 같다고 했다. 거기다가 맑은 공기와 강한 햇빛은 나무가 잘 자랄 수 있는 좋은 환경 이였다. 8월의 신록을 얕은 뿌리가 지탱하지 못하고 넘어질 수도 있다는 이야기를 하고 갔다. 그가 가고 난 후 한 동안 귓가를 때리는 그 말, 자신이 만든 신록의 무게를 감당하지 못하고 뽑혀 졌을 지도 모르는 뿌리를 생각하고 있었다.

우리들도 만약 뿌리가 든든히 내려지지 않은 상태에서 많은 것을 이루었다면 나무와 같은 일을 당할 수가 있을 거라는 생각에 정신이 바짝 들었다. 더욱이 어려운 환경에서 힘들게 생활했던 우리가 자녀들에게만은 편안하게 해주고 싶은 마음에 스프링클러가 그랬듯이 필요 이상으로 좋은 환경을 만들어주고 있지나 않았는지.

사랑스럽고 귀여워서 무거운 것 한 번도 들게 하지 않았던 아들이 자라서도 자신은 모든 일에서 제외 되고 편안하게만 살려고 하는 버릇이 생긴다면 어쩌나 하는 아찔한 생각이 들기도 했다. 눈에 넣어도 아프질 않을 것 같은 딸내미가 손가락에 물 한방을 묻히는 것이 아까워서 설거지 한번도 않고 자라나 자신도 관리할 수 없을 만큼 약하여 가벼운 바람 같은 환경이 오기라도 한다면 여지없이 넘어지고 말 것이다.

굵직한 기업체를 갖은 아버지가 여름방학 동안의 일자리를 찾는 대학생 아들에게 일자리 찾는 어려움부터 경험시키기 위해 이력서 쓰는 방법만을 가르쳐 준 다음 여기저기 돌아다니며 일자리를 찾게 하였다 한다. 얼마나 차원 높은 사랑인가! 물질 귀한 줄 모르고 사는 꽤 괜찮은 집에서도 자녀들을 고등학교 때부터 햄버거 샵에서 최저 임금을 받게 하면서 기름과 땀이 범벅되는 일을 시키는 부모를 봤다. 또 학교 공부가 싫어질 즈음에 일부러 힘든 일자리를 얻어서는 일주일 혹은 이주일쯤 해보고는 공부보다 훨씬 어려운 일들이 세상에 있다는 것을 스스로에게 알리고 다시 책상 앞에 앉았다는 철든 십대도 보았다.그들은 뿌리내리는 작업을 위하여 자녀들과 자신을 훈련하는 것이었으리라.

한여름에 옆에 있었던 친구 나무를 잃고 묵묵히 가을과 겨울을 버티며 봄을 향해 서있는 참나무들. 찬바람 부는 늦겨울 군데군데 진초록의 미슬토만 이고 서 있다. 오는 여름에는 물기와 햇빛 충분히 받는다고 할지라도 뿌리가 견딜만한 녹음을 가져서 위험하지 않게 살라는 생각을 해보았다. 아니 시당국에 연락해서 가지라도 몇 개씩 처내주게 해주고 싶어졌다..

뒷모습

나 자신의 뒷모습은 어떤 모습일까? 궁금해 한 적이 한두 번이 아니다.

빗속에서 우산을 쓰고 걷는 여자, 바바리 중간을 벨트로 질끈 묶고 날씬한 몸매로 경쾌하게 걷는 뒷모습을 보았을 때, 낙엽이 흩어진 산길이나 함박눈 내리는 거리를 스카프를 매고 총총히 걸어가는 영화 속의 끝 장면을 장식하고 걷는 그러한 여자들의 매력 있는 뒷모습을 볼 때마다 내 모습이 궁금했다. 그러던 중 친지의 결혼식에 참석 했다가 찍혀진 뒷모습을 보고 그만 깜짝 놀라고 말았다. 전혀 카메라를 의식하지 못하고 찍혀진 나의 뒷모습의 분위기가 어쩌면 그렇게도 유명한 세기의 명화 사운드 오브 뮤직(sound of music)의 한 장면, 우스꽝스럽고 희극적인 여인의 모습과 흡사할까? 이럴 수가 있나하고 테이프를 돌려서 보기를 거듭거듭 하였지만 영락없이 그 여자의 모습 그대로였다.

그러니까 주인공 캡틴 폰 츄립 가족들이 도레미 송이니 에델바이스 등을 불러 일등을 차지했던 음악제에서 겨우 삼등을 했던 그 여자 뒷모습 분위기와 너무도 흡사했던 것이었다. 뒤뚱거리는 걸음걸이며 팡파짐한 몸의 형태, 감격하여서 어쩔 줄 모르고 인사만 거푸 해대다가 안내인의 손에 이끌리어 퇴장하면서까지 했던 우스꽝스러운 몸짓, 그리고 쭈뼛쭈뼛 걸어가던 뒷모습이 너무도 희극적이어서 얼마나 웃어댔는지 모른다. 그런데 그 모습이 바로 내 모습이라니…. 세상에 많고 많은 사람들 중에 하필 그 여자와 같은 볼품없는 모습이 내 모습이라니. 그런 줄도 모르고 예쁜 여자들이 지나가면 비록 내 앞 모습은 합죽 턱에 보잘 것 없는 얼굴일망정 뒷모습만은 여느 여자들 보다는 예쁘겠지라고 자위하곤 했었다. 그러나 영화 속 배우의 뒷모습은 감독의 지시에 의한 인위적인 것이고 적어도 나의 뒷모습은 자연스럽게 배어나온 모습이고 보면 얼마나 한심하고 부끄러운 형상인가 하는 생각에 당당하게 걸어다닌 시간들이 무안해 지기까지 하였다.

한참을 절망에 빠져 있던 나는 그대로 있을 수가 없었다. 그것은 비록 뻔뻔스러움의 발동일지 몰라도 칠푼이처럼 행동했던 그 배우의 예찬론자가 되어 우스꽝스러운 모습을 선전하기까지 하였다. 우스꽝스러운 역이 그에게 주어진 역할이라면 그 여자는 명배우임이 분명하다. 배우는 감독의 지시에만 충실하면 되는 법, 감독의 의도를 무시한 채 자기 잘난 것만 표현한다면 배우가 아니다. 기왕 그 배우 겉 모습을 닮았다면 겉모습만이 아닌 속 모습까지 철저하게 닮은 모습으로 살아가리라고 생각하였다. 영화 속에서 아무도 대신 해줄 수 없는 자신의 역을 톡톡히 소화해 낼 수 있었던 그 배우처럼 이 세상에서 나에게 주어진 역할이 비록 우스꽝스럽고 촌티 나는 역이라 할지라도 그것이 내 몫이라면 철저하게 소화해 내야 할 게 아닌가. 양념 같은 그 역으로 다른 사람들에게 웃음을 주기 위한 의도를 충실히 나타낸다면 칭찬받을 만한 배우이듯이 나 역시 내 삶에 있어서 내 몫을 다 해낸다면 생긴 모습이 무슨 대수겠는가.

주인공 줄리 앤드류 같은 역을 해내어서 아름다운 노래와 숨어 있는 재능 다 발휘하고, 멋진 사랑까지 해낼 수 있다면 더없는 기쁨이리라. 하지만 주연이든 조연이든 그들은 이제 한 영화 속에서의 인물들일 뿐이다. 비록 우스꽝스러운 역이라고 할지라도 내 주어진 공간 속에서 아내로 어머니로 며느리로, 또 이웃집 아줌마로 역할을 충실하게 담당하며 살고 싶었다.

한때는 내 아이들이 세상에서 엄마를 제일 예쁜 사람, 제일 사랑스러운 사람으로 알고 대해주었으니 얼마나 행복한 일인가. 이젠 다 커서 엄마가 초라한 모습을 가진 펑퍼짐한 아줌마인 줄을 알아버렸지만, 슬금슬금 웃으면서 팔짱도 끼워주고 "그래도 예뻐요" 하며 뻔한 거짓말로 격려도 해준다.

적어도 내 관객들은 나를 빤짝거리는 인기인으로 두지 않고 그들의 가슴 속에 찬란한 엄마라는 사랑으로 간직한다는 사실을 확인할 때면 비록 볼품없는 역을 맡았을망정 너무 행복하지 않을 수 없다.

하찮은 내 모습일지라도 열심히 연기하리리. 나의 삶을 겸손하고 투박하게 맡겨진 일을 성실하게 수행하면서 훗날 나에게 그 역을 맡겨주셨던 분을 만났을 때 표현하시고자 하는 뜻을 가장 잘 표현했다는 평을 받는다면 그것이 명배우의 연기리라. 내 식대로 살고 싶어지는 것이다. 비록 작은 공간에서 작은 몸짓으로 살다 소리도 없이 사라질지라도 세상의 스크린보다 더 큰 세계의 인기와 칭찬을 받는 내 자리가 더 소중한 자리라고 확신한다.

3부

요술방망이들

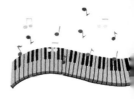

환상의 커플

철들이기

엄마와 딸

눈물 이야기

내게 있는 것

아가와 해가

어떤 부성애

아이의 양심

요술방망이들

나 주 여호와가 말하노라 그래도 이스라엘 족속
이 이와 같이 자기들에게 이루어 주기를 내게 구하
여야 할지라(겔 36:37)

환상의 커플

한 쌍의 잉꼬부부가 있다.

지수 엄마와 지수 아빠가 그 주인공이다. 그들은 누구에게 도 단번에 금실 좋은 부부임을 들켜버리고 만다. 그들의 자 연스러운 행동에서 그 모습이 배어 나오기 때문이다.

동부인하는 모임이 있을 때마다 남자 그룹과 여자 그룹이 따로 앉아 이야기하는 것이 한국 사람들의 풍토이다. 우리라 고 예외는 아니다. 여자들은 여자들끼리 모여 수다를 떨고 있을 때면 지수 아버지는 여자 쪽을 찾아올 구실도 없는데 꼭 몇 번씩 찾아와서 다정하게 아내를 처다본다. 둘이 눈이 마주치면 서로 윙크를 살짝 하고는 돌아간다. 윙크하는 모습 을 옆 사람에게 들켜, 멋쩍기라도 하면 지수엄마는 변명한 다. "낮에는 남 보듯 밤에는 꽃 보듯 하자고 그렇게 단속했건 만 저 양반 나를 보고 싶어서 또 야단이네" 하며 뒷머리를 긁어댄다. 결혼생활 삼십 년이 지났다고 하는데 꼭 엊그제 결혼식을 올린 신혼부부 같다.

세 자녀를 키울 때도 지수 아버지가 집에 있을 때는 한번도 지수 엄마가 아이들의 기저귀를 간다든지 목욕시키는 일이 없었다고 한다. 외출할 때도 아이를 안아주는 일도 물론 모두 지수 아빠의 몫이었다고 한다. 자신의 옷차림도 아내가 좋아하면 족했고, 아내가 맛있어 하는 것이 있으면 떨어지지 않게 냉장고에 가득가득 채워 놓았다고 자랑이다.

미국 생활 삼십 년이 넘고 운전 경력 삼십 년 가까운 여자가 아직도 자기 차에 가솔린 넣는 방법을 모른다면 누가 믿으랴. 그러나 사실이다. 지수 엄마는 정말 가솔린 넣는 법을 모른다. 한번도 그런 일을 해본 적이 없다.

우리 보기에는 별로 예쁜 것 같지도 않은 그저 평범한 얼굴이지만 그는 아내를 어떤 명배우하고도 비교하기를 싫어했다. 자신의 아내만을 제일로 아는 것을 보면 팔불출 같은데 많은 사람들이 그의 인품을 좋아하고 사회에서도 꽤나 행세를 하며 살아가는 사람이다.

남편을 대하는 지수 엄마 또한 따를 사람이 없다. 모든 음식은 남편의 입맛을 맞추고 식탁에서 혹 남편이 입맛에 맞지 않은 눈치가 보이면 아무리 여러 종류의 반찬이 있다고 할지라도 먹던 밥 멈추고 입맛에 맞는 음식을 뚝딱 만들어 남편 앞에 대령하는 지혜로운 여인이다.

바쁜 일상에 다른 가정들은 아침은 거르거나 아니면 간단하게 때우는 것이 상례이건만 꼭두새벽에 일어나서 국 끓이고 새 밥을 지어 아침상을 본다. 게다가 남편 식사가 끝나기 전까지는 식탁에서 일어나지도 않고 그날 중요한 일들을 꼼꼼히 챙겨준다는 지수 엄마다. 화장과 옷차림도 모두 다른 사람이 아닌 오직 남편을 위하여 하기 때문에 그녀의 화장은 외출할 때가 아닌 새벽에 이루어진다. 그 뿐 아니다. 번거로운 일일 것인데도 남편이 날마다 입는 와이셔츠는 세탁소에 보내지 않고 자신의 손으로 다림질하여 옷장 안에 걸어 놓는 그녀다.

대부분의 여자들에게는 '시'자 콤플렉스가 있어 시댁 식구들은 가까이 하기엔 너무 먼 당신들이건만 지수 엄마에겐 오히려 남편이 연결 고리가 되기 때문에 그 흔한 고부간의 갈등이라든지 시누이, 올케 간의 문제가 전혀 없다. 그녀의 지론인즉 시어머니는 내 어머니요 시누이는 내 귀여운 동생이라니 더 말해 무엇 하랴.

남편의 행복이 자신의 것이기에 오직 남편의 행복만을 위하여 사는 지수 엄마. 마음 깊은 속에서부터 서로 존경하고 사랑하며 살고 있는 그들을 우리는 곧잘 잉꼬라고 놀리곤 한다.

철들이기

　아이가 프랑스에서 한 학기를 공부하기로 작정하였는데 그 이전에 친구하고 3주 동안 유럽을 여행한다며 떠났다. 저 혼자서 이런저런 일을 준비 하는 것이 대견하기도 하여 구경만 하고 있었다.

　그런데 여행지에 도착하자마자 보내온 이-메일이며 다급하게 걸어오는 전화의 목소리는 나를 난감하게 했다. 첫 번째 전화는 떠난 그 이튿날 런던 공항에 도착하자마자 걸려온 전화였다. 내용인즉 먼저 도착한 친구가 나오지 않았다는 것이다. 그 시각이 새벽 2시 30분이었다. 혹 그 동안에 어떤 변동사항을 보내오지 않았는지 알아봐 달라는 내용이었다. 친구 하나를 믿고 무조건 런던에 도착하였는데 그 친구가 보이지 않았으니 얼마나 당황하였겠는가. 우리 부부는 컴퓨터 앞에 숨을 졸이고 앉아서 아이의 메일을 분주하게 검사하고 있었는데 십 여분 후에 친구를 만났다는 연락이 왔다. 체중이 싹 내려가는 듯한 안도의 한숨을 쉬었다. 그러나 그 후로 연신 울려대는 전화벨은 우리 부부를 초조와 긴장의 시간으로 몰아넣었다. 가저간 짐을 끌고 여행을 다닐 수가 없어서 짐 맡아줄 곳을 찾는다는 응석이며, 비행기 타는 날짜를 잘못 보내주는 사고가 생겨서 두 아이가 공항 대합실 의자에서 쪼그리고 앉아 잠을 잔다는 사연 등 실로 전화벨이 울릴 때마다 가슴을 조였다. 아이가 돌아오는 날까지 우리 부부는 오늘은 어떤 일로 힘들어하며 어떻게 해결되었다는 연락이 올 것인가 하는 걱정의 연속이었다.

나는 날마다 두 손 모아 기도하지 않을 수 없었다. 아이가 돌아오는 날까지 큰 탈 없이 평화롭게 해주시고 안전하고 편안한 여행을 마칠 수 있게 해주시라는 기도였다. 아이가 영국에 있을 때에는 영국의 평화와 안전을, 아일랜드에 있을 때는 또 그곳을, 스페인에 있을 때는 물론 스페인을 향하여 기도를 올렸다.

어느 선교 지망생이 지구본 위에 손을 얹고 날마다 기도했다는 이야기를 들은 적이 있다. 물론 그는 온 인류를 진정 사랑하는 마음으로 기도를 드렸겠지만, 영국이나 스페인을 사랑해서가 아닌, 순전히 우리 아이를 위하여 평소에는 안중에도 없었던 유럽을 여기저기 옮겨 다니면서 기도하고 있는 자신을 보며 쓴 웃음을 짓지 않을 수 없었다. 내 아이가 그곳을 여행하고 있다는 이유만으로, 그 나라들을 위하여 기도를 하고 있었으니 얼마나 얄팍하고 속 보이는 행동인가.

언젠가 읽었던 어떤 왕자의 이야기가 생각났다. 어느 왕궁에 자신만을 아는 왕자가 살았다. 그는 나라의 귀한 왕자답게 이기심이 가득했다. 왕궁 안의 왕을 제외한 모든 사람들은 자신을 위하여 살아야 했고, 백성들 또한 그러기를 바랐다. 건강해야 하는 것조차도 오직 왕자에게 충성을 하기 위함이었다. 가마에서 내리면 그가 걷는 길은 언제나 비단으로 단장되어 있었다. 그러다보니 왕자는 모든 것에서 자유로워질 수가 없었다. 어디든 가고 싶어 하는 젊은이였지만 마음대로 돌아다닐 수가 없었다. 급기야는 신하들에게 자기가 가는 모든 길을 가죽으로 덮을 것을 명령했었다. 신하들은 왕자마마가 납시면 그의 갈 방향을 미리 알아 두었다가 열심히 가죽을 깔아 놓았다. 그 일이 얼마나 고통스러웠겠는가!

어느 지혜 있는 신하 한명이 가죽으로 길을 덮을 것이 아니라, 왕자님의 발을 가죽으로 싸드리자고 하여 왕자의 발을 가죽으로 든든히 싸주고 난 후 불편 없이 길을 다닐 수가 있었고 그것이 발전이 되어 오늘날 우리가 신는 샌들이 생겨났다는 이야기였다.

내 아이가 가는 곳마다 순조롭도록 바란 것은 왕자가 발 앞에 가죽을 깔기를 원했던 것만큼이나 어리석고 이기적인 생각임이 분명했다. 왕자의 발에 가죽을 신긴 지혜로웠던 신하처럼 아이를 강하게 만들어야겠다는 생각이 들었다. 어디서 어떤 일이든 적응하고 이길 수 있는 힘을 길러 주었어야 했는데 하는 후회가 들었다. 지금이라도 스스로 시행착오를 해가면 강하게 만들어 주실거라 믿고 오직 하나님께 기도를 드렸다. 그리고 모든 걱정에서 벗어났다.

날이 감에 따라 적응해 가는지 아이의 목소리는 안정을 찾아가고 있었다. 긴박한 일이 벌어졌는데도 점점 침착해 지는 것을 느낄 수 있었다. 걸려오는 전화에 대한 나의 대답도 달라졌다. "그래그래 너를 위하여 내가 무엇을 해 줄까?"가 아니라 "네 지혜로 이길 수 있을 거야. 너는 해낼 수 있을 거야."라는 대답으로 바뀌어 있었다.

어느덧 아이의 여행이 끝나고 돌아올 날이 얼마 남지 않았다. 그동안 마음 졸이기도 하였고 식은땀이 나던 일도 많이 있었지만 아이를 철들게 하기 위하여 멀리 보내기를 잘했다는 생각이 들었다. 그 덕에 진정한 어미의 노릇이 어떤 것인가를 배우는 기회를 갖기도 하였다. 아이를 철들게 하려면 멀리 여행을 보내라고 했는데 이번에는 못난 어미도 부쩍 철이 든 것을 스스로 느낄 수가 있었다.

엄마와 딸

하필이면 그 시간에 베이브리치를 건너가고 있었던 것일까?

샌프란시스코 동쪽에 있는 도시 오클랜드에서 샌프란시스코를 가자면 지나가야 하는 그 다리. 석양에 그곳에서 보는 샌프란시스코의 광경은 공포 그 자체였다. 검회색 뭉게구름이 금문교가 있는 북서쪽 하늘에서부터 내려오기 시작하더니 도시를 향해 쳐들어가는 것이 아닌가! 빠르지는 않았으나 거침없는 속도로 덮어가는 모습은 흡사 물체를 호리병 속에 가두기 위한 마술사의 커튼 같았다. 멍청하게 앉아 있는 동안에 무대에서 사라져버린 등장인물들을 뒤늦게 찾으려 눈을 부지런히 움직이며 허탈해 하는 관객처럼 없어진 도시를 찾으며 떨고 있을 것만 같은 공포감이 밀려왔다. 그런 도시 속으로 들어가는 자신을 생각하니 엄청난 두려움이 엄습해

왔다.

두 눈을 질끈 감은 나는 그만 '악' 소리를 질렀다.

순간 운전을 하던 딸이 놀래서 고개를 돌린다. 눈을 감은 채 손가락만으로 앞을 가리키며

"저기 샌프란시스코가 무서운 구름 속으로 빨려 들어간다."

공포에 떠는 내게 딸내미의 대답은 너무도 경쾌했다.

"어-엄마는, 저것이 어디 무서운 거야. 얼마나 편안해 보이는데 포근한 검은 솜이불 같잖아요!"

같은 유전자를 지닌 모녀의 느낌이 이렇듯 차이가 나다니. 하기야 새삼스러울 것도 없다. 딸아이에게서는 어릴 때부터 나타난 대담성이 있었으니까.

놀이동산에 데리고 가면 아이는 굳이 무서운 것만 타기를 고집했다. 나는 겨우 회전목마를 타고 기분을 냈지만 딸아이는 엄청난 회전 속도로 좌우로 사람을 몸살 나게 흔들어대는 기구를 타고도 좋아 웃어댔다. 나는 뱅글뱅글 도는 회전컵조차도 안에 있는 핸들을 돌리지 못하고 안절부절 앉아 있는데 딸내미는 돌발적으로 핸들을 돌리면서 죽을 쌍이 되어 있는 어미를 보고 너털웃음을 웃어댔다. 그럴 때마다 나는 어지럽고 속이 미식 거려 정신을 차리기까지는 10여 분을 맨 땅에 앉아 있어야만 멀미가 사라지곤 했다. 이렇게 위태롭고 아슬아슬한 기구들을 탈라치면 곤욕을 치른 적이 한두 번이 아니었다.

그러니 아이의 머릿속에는 엄마는 재미없는 사람으로 박혀 있을 수밖에 없었을 것이다.

아이를 태워 놓고도 아래서 기다리는 동안 '어, 억, 앗, 아앗.'하는 비명이 들려오면 손에 땀을 쥐고 아이가 타고 있는 칸을 바라보면서 '살아서 나올 수가 있을까? 죽더라도 같이 타 줄걸!'하는 후회와 두려움으로 영원처럼 긴 5분 동안을 안절부절 못하며 기다리곤 하였다. 이윽고 시간이 끝나고 기계가 멈추면 아이가 상기된 얼굴과 비틀거리는 걸음걸이로 엄마를 향하여 왔다. 마주 달려가 죽음에서 건져낸 딸을 반기듯이 끌어안고는 다시는 타지 마라 당부하면 "재미있는데 왜 그래!" 하며 앵 돌아서는 딸을 보곤 했었다.

그러다가도 미안한 생각이 드는지 자기 엄마가 유일하게 탈 수 있는 목마를 타자고 인심을 쓰기도 했다. 겁보 엄마일지라도 딸내미를 꼭 앞세웠다. 자신은 바로 그 뒤의 목마에 앉아 두 손으로 기둥을 꼭 붙잡고 타곤 했다. 앞쪽의 아이는 후딱 돌아앉기도 하고 손을 놓기도 하며 엉뚱한 짓을 했고, 엄마의 가슴을 또 두근거리게 했다. 이렇게 아이는 아슬아슬함과 엄마의 걱정되는 표정을 즐기곤 했던 것이다.

언제쯤에나 그 철부지가 알아낼 수 있을까? 겁보 엄마가 굳이 자신의 뒷자리만을 고집했던 이유를. 두 사람의 차이는 목마와 목마 사이의 가까운 것 같으면서 평생 좁혀지지 않는 거리와 같다.

산을 가도 가파른 언덕을 폴짝거리며 뛰어가기를 좋아하

는 딸과 앉아서 솔바람을 즐기고 싶어 하는 엄마. 새로운 음식도 맛보고 싶어 하는 딸과 먹던 음식만을 고집하는 엄마. 고난도 부딪혀 가면서 해결해 나가는 딸과 모든 것이 못 미더워 가슴 졸이는 엄마. 낯선 사람노 인사부터 하고 보는 딸과 몸부터 움츠리는 엄마. 두 여인의 차이는 무엇으로도 좁혀지지 않는 목마의 거리였다. 사람과 사람 사이는 더 이상 좁혀지지 않는 거리가 있다. 가까우면 가까운 거리가 있고, 먼 사이라면 또한 그만큼의 거리가 있다. 무엇으로도 좁힐 수 없는 아니, 대신 해줄 수 없는 거리. 부모와 자식, 부부, 피를 나눈 형제, 같은 형상을 한 쌍둥이 일지라도 하나가 될 수는 없는가 보다.

엄마는 딸내미가 열로 펄펄 끓으며 헛소리 심하게 하던 어릴 적의 일을 기억한다. 안타까운 마음에 대신 아파주고 싶었으나 고작 할 수 있는 일은 해열제나 시간 맞추어 먹이고, 물수건을 갈아주며, 안고 자장가나 불러주는 일밖에는 대책이 없는 어미였다. 아픔이나 죽음은 물론 같이 해줄 수가 없고 성장에 필요한 정신적인 모든 것도 타인이 대행해줄 수가 없는 각기 짊어지고 가야할 자기 자신들의 생인 것이다.

또한 대신 해주어서는 안 될 일도 있다. 자녀라 할지라도 성인이 되었다면 성인으로 당연히 하고 살아가야 할 그 몫을 어찌 대신 해주어야 하는가. 그것은 그들의 몫이다. 성장을 돕고 품을 떠나가기까지는 보호하여야 할 의무와 책임이 있지만 어릴 때처럼 무조건 보호하고 있다면 독립인으로 살아가는데 오히려 방해가 된다. 이것이 회전목마 사이와 사이처럼 마땅히 지켜야 할 거리 곧 질서인 것이다.

세월, 또한 이들 사이로 그만큼의 거리를 만들어 놓고 생을 끌어가며 흘러갈 것이다. 언젠간 그날에 딸이 자라나 자신 속에 숨어 있었던 엄마에게서 받은 유전인자가 자신의 딸에게서 나타나 소심한 성격을 갖는다면 할머니를 닮았다고 구박을 하리라. 그때쯤이면 엄마가 늘 자신의 뒤에 있었던 것이 아니라 따라갈 수 없는 한없이 앞선 거리에서 자신을 보호하고자 하는 마음을 갖고 있었던 것을 이해할 수가 있으리라.

엄마와 딸아이는 두렵지만도 않고 포근하지만도 않은 안개 낀 샌프란시스코의 중앙으로 들어갔다. 태고 적부터 계절에 따라 밤이면 공포의 회색구름이 도시를 덮쳐 왔을지라도 삼키지는 못하고 아침이면 물러갔기에 지금도 도시는 건재하는 것이다. 또한 이불처럼 포근하지도 않았기에 밤마다 거리의 사람들이 떨면서 아침의 온기를 기다리며 고통의 밤을 보냈을 것이다. 마술사의 커튼도 온 시가지를 포근하게 덮어주는 솜이불도 아닌 그저 손에 잡히지 않는 안개일 뿐이다. 그러나 엄마는 그 밤도 한 치의 양보도 없이 악몽을 꾸며 잘 것이며 딸내미는 편안한 잠을 잘 것이다.

눈물 이야기

　어지간해서는 눈물을 흘릴 줄을 모른다. 그렇다고 독한 성품도 아니요, 돌 자갈밭 같이 황폐한 심성도 아니다. 불쌍한 것을 보면 가슴이 아프고 감격스러운 일을 보면 가슴이 뭉클해지며 속상한 일에는 버럭 화도 낼줄 아는 아주 평범한 여자임이 틀림없다. 그러나 유독 눈물만은 잘 흘릴줄 모른다. 설령 눈물이 나온다 해도 찔끔하면 그만이다. 그러니 흘리는 수준까지는 가지 못한다고 할 수 있다. 자고로 눈물 흔한 사람치고 나쁜 사람 없다고 한다. 이렇듯 눈물이 평가의 기준이라면 나는 에누리 하나 없이 나쁜 사람일 수밖에 없다.

　어떠한 영향인지는 알 수 없는 노릇이지만 굳이 생각을 해 보면 감정을 섣불리 얼굴에 나타내지 않는 것이 정숙한 여인상 일거라는 스스로의 정한 규범 때문이 아닌가 한다. 어릴 적에 보았던 책의 어느 구절에 큰 슬픔을 당한 여인이 다른 사람을 대할 때는 태연했으나 상 밑에는 늘 손수건을 짜고 있더라는 이야기를 아직도 기억하고 있다. 그것을 보면 아마 그런 여인의 절도 있는 행동에 매력을 느끼고 스스로 남들 앞에서 눈물을 보이는 것을 절제하는 훈련을 쌓았는지도 모른다.

어쩔 때는 가슴이 미어지는 슬픔 앞에 한없이 울고 싶지만 눈물이 나오지 않아 답답했었던 적도 있고, 사랑하는 친구나 이웃들과 같이 울어 주면서 그들을 위로해 주어야 할 일이 있는데도 그러지를 못했다. 그들의 슬픔이 파도처럼 가슴으로 몰려오기는 했지만 눈가는 물기 하나 없이 뽀송뽀송한 얼굴이 민망하기까지 한 적이 있다. 어찌 그뿐이랴. 여자가 눈물이 없는 고로 손해를 많이 보았다는 것을 세월이 지나면서 알았다. 남편과의 관계에서도 웬만한 실수는 눈물 한줄기면 끝이 날 것도 오래도록 질질거렸다. 갖고 싶은 것 하고 싶은 일도 절망의 표정과 함께 눈물 몇 방울로 해결해 버리는 친구들을 많이 보아왔다. 나는 그런 혜택을 제대로 누려본 기억이 한번도 없다.

'여자가 약한 꼴을 좀 보여주어야지. 당신처럼 야들 거릴 줄 모르는 여자는 남편의 마음을 사로잡지 못하는 거 알기나 해?'

이것이 남편이 나에게 건네는 힘담이다. 그러나 어쩌랴. 내 성격인 것을. 눈물에 약하지 않는 남자는 없다. 남자들을 녹다운 시킬 수 있는 유일한 무기가 눈물인줄 왜 모를까. 친구들로부터 늘 듣고 사는 잔소리요 코치다.

어느 날 나는 친구들 말에 힘을 얻어 눈물로 남편의 마음을 한번 흔들어 볼 작정으로 마주 앉았다. 잔뜩 슬픈 얼굴로 이런저런 부탁을 하는데까지는 성공을 했다. 그쯤에서 눈물이 얼굴을 적셔주어야 한다. 그런데 영 눈물이 나오지를 않는다. 그래 어릴 적부터 있었던 슬픈 생각들을 찾아서 열심히 머리에 그려보는데도 슬픈 생각은 좀처럼 떠오르지 않았다. 내가 이런 슬픔을 당했다면 어쩌겠나? 가정하며 눈물을 모아보려 했지만 모두가 헛수고였다. 이 일을 못하고 죽으면 얼마나 억울할까 생각해 봐도 영영 눈물은 멀리가고 나타나지를 않는다. 눈물만 멀리 가버린 것이 아니라 쭈그리고 앉아 눈물을 빼려 노력하는 자신의 꼴을 생각해보니 되레 웃음보만 만들어 캑캑 터져나와 버렸다.

제법 심각하게 앉아 있던 남편 왈 "별일도 아니네. 뭐!" 하며 돌아앉아서 자기 일만 해버린다. 한번 나오기 시작한 웃음은 주책없이 그칠 줄을 모르고, 도대체 난 어찌된 여자란 말인가!

그러던 것이 이변이 생겼다. 한 이 년 전쯤 하루 일을 끝내고 지친 몸으로 들어 왔는데 아이가 바쁜 일이 있었던지 어미에게 인사말도 없이 자신이 원하는 것만 주절주절 이야기하고 뒤도 돌아보지 않고 나가는 것이 아닌가. 갑자기 무시를 당했다는 생각이 들더니 기가 꽉 막힌다. 그때부터 눈물이 나오기 시작했다. 저녁을 하는 것도 미루고 화장실로 들어가서 내리 울기 시작했다. 아이들 때문에 이 고생을 하고 젊음 다 받쳐서 살아왔는데 이런 괄시를 받다니 억울하다는 생각과 허전하고 허망했다.

앞으로 남아 있는 모든 생까지 의미가 없을 것 같아 울고 또 울었다. 처음 있는 일이라 온 식구가 법석이 났다. 시어머니, 남편, 아이들까지 황당하여 허겁지겁 달래고 사과하고 하여 두어 시간 만에 그치고 나왔다. 눈물의 큰 위력을 보기는 했지만 어찌나 겸연쩍든지 울지 않는 편이 나았을 것이다. 다시는 울지 않으리라 속으로 다짐을 했었다.

그랬는데 웬걸 한번 터진 눈물은 주체하기가 힘들 정도로 작은 사건만 있어도 시도 때도 가리지 않고 솟아나는 것이다. 울고 싶었을 땐 아무리 생각해도 떠오르지 않았던 기억들이 눈물이 나오기 시작하면 줄줄이 슬픈 감정을 받쳐 주며 따라나오는 것이었다. 소싯적 이름도 잊혀진 친구들이 그립기도 하고 팔팔하고 맹랑했던 나의 십대가 지금 내 모습을 보면 어찌 견딜 수가 있을까 싶을 정도로 눈물을 주체할 수가 없었다. 꿈이 없어진 줄도 모르고 살아온 삶이 한심하기도 했다. 다른 사람이 들으면 웃기는 일이겠지만 그런 게 슬펐다.

한두 번은 식구들도 심각하게 생각하더니 횟수가 거듭되면서는 울기 시작하면 아예 화장지와 휴지통을 옆에 갖다놓고는 딱딱한 벽이 등을 불편하게 한다고 푹신한 등받이까지 등에 받쳐주고는 자리를 비켜주었다. 그리곤 자기네들끼리

쑥덕였다. "갱년기 때는 저렇데. 호르몬이 언밸런스여서 그런데. 아마 갱년기가 남보다 일찍 왔나봐" 전문가에게 알아봤다나. 그런 언동이 괘씸해서 알아주지도 않는 울음만 실컷 울다가는 정신을 차려보면 딱히 울어야 하는 이유를 본인도 찾지 못했다. 슬슬 그치고 싶어 누가 좀 와서 말려주면 못이기는 척하고 그쳐줄 수도 있을 텐데 약속이나 한 것 마냥 아무도 거들떠보지 않았다. 질리기도 했겠지만 좀은 서운했다. 할 수없이 혼자 맥없이 나와서 밥도 먹고 또 평소와 다름없이 일을 했다. 무안하고 겸연쩍은 마음은 한동안 사라지지 않았다. 한참 후 그 감정이 지나고 나면 놀랍게도 가슴 저 밑바닥에 있었던 뭉치가 없어지며 가슴이 후련해지고 생각도 산뜻해지는 것이 아닌가! 식구들이 갱년기니 호르몬이니 아무리 말을 하여도 내 생각에는 일생동안 쌓여 있었던 감정들과 맑은 생각을 만들어내는 세포 속에 끼어 있었던 때들을 말끔하게 씻어주기 위해 뜨거운 눈물은 솟아 나왔던 게 분명하였다. 눈물의 위력이 이렇다는 것을 예전에는 미처 몰랐다.

너무 오래 막아 두었다가 둑처럼 터지지 말고 작은 때라도 끼면 그때그때 솟아나와 주었으면 좋겠다는 생각이 들었다.

내게 있는 것

  잔디밭에 물주기 위한 스프링클러가 시원하게 물줄기를 뿜어댄다. 그 물줄기의 잔해들이 콘크리트 보도 위에 흘러들어 맑은 거울이 된다. 어떤 곳은 손바닥만하고 어떤 곳은 방석만 하고 또 어떤 곳은 밥상만한 제각기 다른 크기의 얕은 웅덩이를 만들어 내고 있다.

  웅덩이들은 쨍하고 내리쬐는 햇빛을 담아 눈을 부시게도 하고, 더러는 작게 흔들리는 나뭇가지와 잎을 비추고, 또는 푸른 하늘을 배경으로 한가히 떠있는 구름조각과 회색의 담과 담을 타고 올라간 담쟁이 넝쿨까지도 안고 있다. 저마다 비추고 있는 방향들을 따라 되받아 아름답게 장식하고 있다.

  회색의 콘크리트 위에 고작 깊이가 1미리 정도 고여 있는 물인데 어찌 저리 곱고 맑고 매끄럽게 거울들의 역할을 하고 있을까? 짝을 맞추기 위하여 상위에 펼쳐 논 퍼즐 조각들과 같이 바탕과는 엉뚱한 모습을 하고 있는 데도 예쁘게 보인다.

　그 웅덩이의 서너 발짝 떨어진 곳에서 즐겁게 바라보다가 생각에 빠진다. 콘크리트 같이 거친 자신의 마음을 돌아본다. 이젠 살아갈 날들이 살아온 날보다도 적게 남아 있는 중년, 남들을 돌아보며 살아가야 할 것인데 열심히 살았다고 하는 데도 다른 이들처럼 인품도 재산도 없다. 어쩔 때는 도움이 꼭 필요한 사람이 와도 도움을 줄 수가 없어 안타깝기만 하다.

　어느 날 새로 시작한 사업 때문에 울면서 나의 문을 두드린 친구가 있었다. 아직 자리를 잡지 못한 사업 때문에 고민하고 있었다. 동양여자 만만하게 보고 생떼를 쓰는 손님, 쌓여지는 부채 등 사업으로 인해 오는 어려움만으로도 충분한 한숨거리였다. 거기다가 살붙이 하나 없는 이국 생활의 외로움으로 인해 생기는 중압감 때문에 성실하게 이행할 수 없는 주부의 책임으로 인해 생겨지는 가족들과의 갈등도 심했다. 그녀의 생활은 실로 도미노 게임이었다. 하나가 넘어지기 시작하자 그 이웃, 또 그 옆으로 번지고 번져서 삽시간에 가장 중요하고 중심이 되는 가정까지도 흔들리는 것을 하소연하기 위해 한보따리의 한숨을 내 앞에 펴놓았다.

　나는 이야기를 듣다가 어디에서부터 손을 봐 줄 수도 조언을 할 수도 없는 무기력한 자신을 알고는 두 손 맞잡고 눈물만 흘려줄 수밖에 길이 없었다. 그때 지혜가 없었던 자신이 얼마나 싫었던가. 위로 받고 조언 구하러 온 사람에게 혹 떼러 갔다가 혹 부치고 돌아온 혹부리 영감처럼 오히려 중압감만 보태서 보낸 것 같아 내내 가슴이 아팠다.

주위를 돌아보면 손길 기다리고 있는 이웃이 너무나 많다. 아픔을 치료받고자 하는 자, 외로움을 위로 받고자 하는 자, 고픔을 면하고자 하는 자. 이런 사람들을 만날 때마다 마음으로는 넉넉하게 도와주고 싶다. 그러나 나의 힘으로는 감당할 수가 없다. 도와주기는커녕 스스로의 괴로움도 감당할 수 없음을 한탄했다.

이런 나에게 물웅덩이 거울은 참 좋은 교훈을 주고 있었다. 힘이 모자라면 힘이 있는 그곳을 비추면 되는 역할 말이다. 비록 내 모습이 어정쩡하고 뒤뚱거리는 걸음에다가 시골티 줄줄 흘러 매끄럽지 못하며 가진 재산도 재치도 재능도 또한 지혜조차 없는 것이 사실이다. 그러나 다행히 내 속에는 아름다운 모습들을 가진 많은 분들의 본보기가 담겨져 있다. 그러므로 사랑이라는 작은 물기만 머물게 한다면 가능하다는 생각이 퍼뜩 들었다. 내 속 안에 지난날 이런저런 도움과 기쁨과 조언을 준 많은 분들의 모습과 순간들이 되쬐임 받기 원하면서 기다리고 있는 것 같은 생각이 들었다. 가진 것 아무것도 없다고 허탈해 있을 때 아직도 남아 있다는 것을 알게 해 주셨던 그분. 외로움으로 떨고 있을 때 따뜻한 손으로 어깨 짚어 주시던 그분. 갈증과 주림으로 서러움조차도 잊어버렸을 때 시원한 물 한 컵으로 갈증 달래주시던 그분.

어두운 인생길이라고 좌절했을 때 빛처럼 나타나 나의 길을 조명해주시던 그분. 용서 구할 염치조차 없어 죄책감을 느끼고 고개 숙이고 있을 때 성큼성큼 다가오셔서 먼저 웃어주시던 그분. 찬찬히 생각해보면 헤아릴 수도 없이 많은 순간들이 떠오른다. 그런 분들이 있었기에 어느 순간이라도 놓쳐버리기 쉬웠던 희망들을 놓치지 않고 잡았었던 기억들이 있다. 아무에게도 빼앗길 수 없는 소중한 나만의 자산들이다. 혼자 간직하지 않고 나눌 때 본래는 투박하고 거친 자신이 없어지고 매끄럽고 아름다운 분들이 나를 통하여 나타날 것이다. 웅덩이 거울은 소중한 것 나누는 지혜를 나에게 알게 해준 것이다.

누군가에게 기쁨과 희망을 주는 일이라면 열심히 나눌 것이다. 어려움은 나누면 반이 되고 기쁨은 나누면 배가 된다 했다. 이젠 어떤 어려운 문제를 안고 들어온다 할지라도 없는 재산 탓하지 않을 것이다. 없는 지혜 탓하지도 않을 것이다. 혹 간직하고 있었던 마음의 재산 모두 써버려 빈 마음이 된다 해도 걱정할 것 없다. 세상 모든 사람들의 마음 다 씻어주고도 아직도 푸르고 맑은 하늘이 있다.

아프십니까? 외로우십니까? 절망에 빠져 있습니까? 오늘도 파랗게 희망을 말해 주고 있는 푸른 하늘을 향하여 얼굴과 마음을 돌려 그 빛 한번 쬐이지 않으려는가. 모든 사람들에게 똑같은 빛으로 보이는 그 빛 말이다.

이(利)가와 해(害)가

세상에는 많은 부류의 사람들이 살아가고 있다.

부류에는 나누는 방법에 따라 다를 것이다. 눈에 보이는 데로 나눌 수도 있고, 보이지 않는 부분을 알아내서 나눌 수도 있다. 보이는 데로 나누는 방법대로라면 남녀, 장유(長幼)로 나눌 수 있고 보이지 않는 부분을 나눈다면 선인과 악인, 정직한 사람과 비정직한 사람으로 나눌 수가 있을 것이다.

몇 년 전에 우리나라의 소설가 최인호 선생이 대상 임상옥에 대하여 쓴 '상도'를 읽을 기회가 있었다. 소설의 중간 부분 어디쯤엔가 서울 장안을 드나드는 모든 사람의 성이 몇 가지나 되느냐는 이야기가 나온다. 놀랍게도 그 답은 딱 두 가지의 성씨만이 있다고 했다. '해'가와 '이'가. 이 부분에서 나는 상당히 충격을 받았었다. 소설을 끝까지 읽고 나니 두 가지의 성씨로 일관 시켜버리는 대답을 여인의 입을 통해 말하게 되었다는 것 외에는 그 주변의 장면들이 선명하게 살아나지 않았다. 물론 주인공 임상옥은 사람을 으뜸으로 알고 사람 얻는 것을 재물 얻는 것 이상으로 치던 선하고 유순한 인품을 가진 모든 사람이 본받기에 충분한 사람으로 그려져 있다.

그런데 어찌하여 최인호 선생은 선한 상인 임상옥을 쓰면서 나약한 여인의 입을 통하여 그런 말을 하게 하였을까. 이상적인 상도덕은 주인공 임상옥을 통하여 보여주었지만 현실은 만만하지가 않다는 것을 여인을 통해 전달한 것이 더욱 효과가 있었으리라고 생각했던 것일까.

그녀의 말에 따라 앞에 있는 모든 사람은 해를 주는 사람이 아니며 이익을 주는 사람이라고 식별하는 눈을 가졌다면 그런 사람은 참 교활한 사람일 것이다. 자연히 해를 주는 사람은 돌아보지도 않고 이익을 줄 수 있는 사람만 졸졸 따라다니면서 헤헤거리게 될 것이니까 말이다. 그러나 이런 식별의 눈을 가진 사람들을 지혜 있는 사람이라 말하기도 한다니 아무래도 나는 지혜자라는 명칭은 영원히 얻을 수가 없을 것 같은 직감이 든다.

내가 누군가를 해가와 이가로 규정짓는다면 자신도 누군가의 해가가 될 수가 있고 이가 또한 될 수가 있다는 것을 알아야 한다. 여태껏 누군가에 의해 그런 규정을 받고 있으리라고는 생각조차 못했었다. 불행하게도 상거래도 아닌 현 생활 속에서 그런 식별 능력을 갖고 있는 사람을 얼마 전 만나

고 말았다. 그의 옆에 있으면 아예 해가로 내쳐져 있는 느낌
을 받는다. 처음에는 무척 슬펐다. 아니 화가 났다. 자기에게
손해를 끼친 적도, 그렇다고 아프게 한 적도 없었다. 그런데
나를 무시하고 있다는 생각에 분노를 짓누르기가 어려웠다.
그러다 그의 입장을 바꾸어 생각해 보았다. 내가 해를 주지
는 않았지만 이익을 주었던 적도 없었다는 사실이 떠올랐다.
앞으로도 그의 이익을 위한 무리 속에는 결코 들어갈 수가
없다는 것도 알았다. 그는 불행히도 '상도' 속의 여인의 말처
럼 해가와 이가로 모든 사람을 분류하고 있었던 것이다.

　어떤 세월을 만나 어떤 환경 속에서 부대끼며 살았기에 저
리 될 수밖에 없었을까. 이익을 줄 수 없는 자가 자신의 옆에
있으면 그도 얼마나 괴로워했을까. 그런 생각이 들자 슬프고
노했던 감정이 수그려 들고 내가 그를 통해서 겸손해 지는
법을 배웠다. 그 순간부터 그가 나에게는 이가(利家)로 비쳐
지기 시작했다. 당황해 하겠지만 고맙다고 손을 잡고 쓸어
주고 이가가 될 수가 없음을 사과할 수 있을 것 같은 여유까
지 생겼다. 그 후엔 옆에서 어떤 언동을 한다고 할지라도 안
쓰러운 마음만 가득했다.

　어울려 부대끼며 사는 세상이다. 손해를 보면서 산다고 한
들 무엇이 대수랴. 오늘은 손해되는 일이나 내일은 도움이
될 수도 있다. 오늘은 기쁨이나 내일은 아픔으로 바뀌지는
일들이 얼마나 많은가. 이익을 주는 사람들에 쌓여서 많은
이익을 남겨 뭔가를 이루었다고 하자. 우리가 가는 길은 종

래에는 하나님 앞이다. 그 앞까지 가져갈 만한 대단한 것이 무엇이 있으랴. 단지 우리의 연수가 70이요 강건하면 80이라 했으니 한정된 그 시간에 얼마나 최선을 다하여 자신을 비우고 이웃을 사랑하며 살았느냐, 얼마나 기쁘고 행복한 시간들을 소유했느냐가 중요 하지 않을까?

그리 따져보면 1년은 인생의 칠십 분의 일 혹은 팔십 분의 일이다. 아픈 그일 자체도 벌써 불행일진데 그 여파가 다른 기간까지 간다면 얼마나 더 큰 불행이겠는가. 옆에 있는 그에게 이익을 줄 수 없는 것도 미안한데 그를 불편하게 하고 자신이 노한다면 일생의 중요한 한 부분을 어둡게 보낸 결과가 되지 않겠는가. 내 생에서 덤으로 불행해 지는 시간들을 가지며 살지 않으리라.

바라기는 누가 나를 해가로 여길지라도 덤덤한 마음을 갖는 것과 영원히 해가와 이가를 판별할 수 없는 지혜롭지 못한 눈의 소유자가 되고 싶다. 아니 바로 어제 나에게 큰 손해를 준 사람이라도 자고 나면 잊게 하여 언제 손해를 보인 사람인지 기억도 할 수 없는 어리석은 자가 되어 어떤 사람들이든 진심으로 반갑게 만나고 싶다. 그래서 한순간도 마음속의 평화를 빼앗기지 않으면서 살고 싶다.

너무 많은 것을 원하면 인생은 칠십 년의 지루한 전쟁이다. 하나님은 마음이 가난한 자의 행복을 위하여 낮에는 해 뜨고 밤에는 많은 별이 있는 하늘을 그냥 보라고 주셨다는 어느 시인의 말이 생각난다.

어떤 부성애

　몇 주 전 손님 중에 신혼인 아내가 첫 아이를 가졌다고 뛸 듯이 기뻐하던 니콜라스가 왔다. 싱싱한 그 부부들이 언제나 가족처럼 느껴졌다. 니콜라스를 처음 본 것은 초등학교 학생 때었다. 엄마가 들고 오는 세탁물이 많을 때는 자기도 거들어서 들고 오기도 하고 항상 부모를 가까이 하고 다니던 어린아이가 중학교에 다니면서부터는 수줍음을 타는지 아니면 바쁜지 잘 오질 않더니 몇 년이 지나 대학생이 되어 엄마와 함께 지나가다 들려서 나를 깜짝 놀라게 했다. 학교 졸업 후 다시 고향으로 돌아와 손님으로 계속 거래하고 있으니 가족과 같은 생각이 들 수밖에. 가족이라도 일주일에 한번씩 만나기가 쉬운 일이 아닌데 일주일에 두 번씩은 정기적으로 와서 이런 저런 이야기를 하다보니 정이 들 대로 든 것이다.

　신붓감을 만났을 때도 만난 경위라든가 같이 찍은 사진 등을 보여 주면서 자랑을 했고, 그의 엄마도 며느릿감 자랑을 얼마나 했는지 아가씨를 보지 않고도 동네 세탁소 아줌마인 내가 상세히 알 정도였다.

몇 가지 옷을 세탁하기 위해 온 그에게 유독 심하던 입덧은 좀 괜찮나 싶어서 아내의 안부를 물었다. 인사말을 듣던 그는 갑자기 침울한 표정이 되더니 카운터 데스크 뒤로 저벅저벅 걸어 들어오는 것이 아닌가! 주인인 나의 허락 없이 카운터 데스크 선을 넘어 들어올 수도 없고 또 들어오는 손님도 없다. 그런 그의 행동을 바라보며 어안이 벙벙했지만 두 명의 손님이 밀려 있어서 말리지도 그렇다고 그 이유를 묻지도 못한 채 하던 일을 계속하였다. 서둘러 기다리고 있었던 손님들을 도와주고 나서 가계 중앙 일꾼들이 일하는 곳까지 들어가서 장승처럼 우뚝하니 서있는 그에게로 다가갔다. 무슨 일이냐고 묻는 나이 표정에 눈물이 글썽한 눈으로 바라보면서 조그만 소리로 아이가 유산 되었다고 했다. 그리고 글썽한 눈물이 와르르 쏟아지는 것이 아닌가. 덩치가 큰 사람이 그러고 있으니 더 딱한 생각이 났다. 덧붙이는 말은 사람이 있어서 말을 못하고 임신한 것에 대해 같이 기뻐해 주었던지라 미안했지만 말을 해야겠기에 말할 수 있는 때를 기다리느라 가게 안으로 들어 왔다는 것이다.

순간 그의 속안에 들어있는 아름다운 아버지의 마음을 보게 되었다. 고작 임신 몇 개월 동안이었다. 아직 구체적으로 생명을 느끼기조차 어려웠을 텐데 어디에서 저런 부정(父情)

이 솟아 나온 것일까? 세상에는 부모답지 않은 부모들이 얼마나 많은가. 자기가 낳은 아기를 양자 보내는 이유가 오토바이를 살 수 있는 돈이 생기기 때문이라는 십대의 아버지도 있고, 자신들의 사생활에 방해가 된다면서 이혼한 부부도 있다. 서로 자신들이 낳은 아이들을 맡지 않으려고 옥신각신하는 부부도 있고, 아이들을 양육하기 싫지만 양육비를 받아낼 수 있기 때문에 아이를 기른다는 엄마도 있다. 사람 사는 세상이 자식조차도 귀찮은 세상이 되었다. 그런 세상인데도 임신 4개월 만에 뱃속에서 없어진 아이에게 저런 부성애를 가진다는 것은 너무 귀하고 아름다워 보였다. 아니, 어쩌면 세상의 많은 사람들이 선한 마음의 니콜라스와 같고 악한 이야기의 주인공들은 흔하지 않기에 뉴스가 될 것이리라.

니콜라스의 부성애는 편협했던 나의 시야를 넓혀 주어 멋진 세상을 보게 해주었다. 하나님께서 이런 준비된 자에게 많은 자손 주지 않으실 리 없다. 생명을 사랑할 줄 아는 그는 복 있는 사람이다. 준비된 가정으로 올 자녀들도 복 있는 자들일 것이다. 사랑으로 양육될 것이 분명하기 때문이다.

내 마음의 눈으로는 두 부부를 꼭 닮은 아들과 딸들이 집안에 가득 왔다 갔다 하며 때로는 아빠의 어깨를 치기도 하고 엄마의 허리에 팔을 감기도 하고 비눗방울을 날리기도 하며 기도소리 웃음소리 노랫소리 가득한 가정, 행복한 표정으로 두 부부가 잠든 아이들을 내려다보고 있을 미래의 그의 가정을 보는 듯 했다.

슬퍼하는 그의 앞으로 가서 웃음 가득 띤 얼굴로 높다란 그의 어깨에 손을 얹어서 도닥거려 주었다.

"네 선한 그 마음에 하나님의 복이 임하시기를 바란다"는 말과 함께.

아이의 양심

큰 아이가 운전면허를 얻기 위하여 이론 시험을 볼 때의 이야기이다.

16세면 운전면허를 가질 수 있다. 그러므로 이론시험은 만 15세부터 보게 되어있다. 응시하여 떨어진다 할지라도 세 번 시험을 치룰 기회를 준다. 여자 아이건 남자 아이건 운전을 하고 싶어서 안달을 하는지라 성급한 아이들은 15세가 되자 마자 이론시험을 본다. 합격의 효력은 1년 동안만 유익하기 때문에 16세 생일 후 실기시험에 바로 붙지 못한다면 무효가 된다. 다시 볼 때는 수수료도 또 내야 하는 번거로움 때문에 15세 생일이 지나고도 몇 달 후에 보는 아이들이 대부분이 다. 거의가 고등학교(9학년)를 14세에 들어가서 고등학교 일 학년 2학기에 운전 이론교육을 학교에서 학과공부로 시키기 때문에 15세가 되면 어렵지 않게 통과 한다.

그러나 우리 큰놈은 학교생활을 다른 아이보다 1년 일찍 시작한 관계로 시험 볼 때는 학과 공부를 끝낸 지가 일 년 반도 넘은지라 잊었을 염려가 있었다. 그렇지 않아도 학교를 일찍 보낸 것을 무척 후회하고 있었다. 일찍 학교를 보낸 데는 그만한 사연이 있었다. 부부가 일하느라 유치원도 가기 전에 프리스쿨을 보냈었다. 교회가 운영하는 사립학교였는데 프리스쿨부터 중학교까지 있는 곳이었다. 프리스쿨에서는 날마다 점심 후 한 시간씩 아이들을 재우는 시간이 있었는데 녀석은 잠이 없는 어미를 닮아 좀처럼 잠을 자지 않고 지루해 하며 장난이 심했던 모양이다. 저만 안 자는 게 아니고 자는 아이들을 같이 놀자고 깨우는 바람에 교사를 힘들게 하였던가보다. 그를 맡았던 선생님이 교장에게 월반을 시켜야 한다고 했고 아무것도 모르는 우리는 교장선생님이 월반을 시켜 유치원 과정을 공부시키는 게 어떻겠냐고 했을 때 학년을 올리는 것도 아니고 고작 유치원 일찍 보내라는 말인데 월반이라는 소리만 귀에 번쩍 들어와서 내 아이가 무슨 천재라도 된 것처럼 좋아하면서 그리하라 허락하고 말았다.

한참이 지난 후에 무지했던 내 실수라는 것을 알아냈다. 공부는 유치원이니까 그래도 따라가는데 도대체 리더십이 문제였다. 스스로 '나는 학급에서 제일 어린 사람'이라는 관념 때문에 앞에 나서는 적이 거의 없었다. 급우들도 어린아이 행동을 해도 그러려니 하다보니 맨 날 뒷전에서만 있게 되었다. 이런 일로 인해 자신의 경솔함을 후회하며 다른 사람들이 아이를 학교에 일찍 보내려고 하면 극구 말렸다.

운전도 그랬다. 친구들은 10학년 때 벌써 쌩쌩 운전을 하고 다니는데 자신은 이론 시험을 뒤늦게 봐야 했다. 운전 연습조차도 이론시험 합격증서가 있어야하고 운전학교에서 24시간 수강을 한 증서를 소지한 후 25세 이상 운전수가 옆에 타야만 가능한 일이니 운전하는 동급생들이 얼마나 부러웠겠는가. 그래 수속을 마쳤다. 운전학교에 등록한 용지도 가졌고 필요한 신분증들도 준비하고 아빠와 같이 갔다. 아니나 달라 몇 시간 후 코를 쑥 빠뜨리고 가게로 어기적어기적 들어오는 게 불합격이 분명했다. 위로를 해주었다. "두 번 더 볼 수 있으니 잘해보아라"하고. 공부를 한 적이 까마득하니 엔간히 까먹을 것은 자명한 사실이 아닌가. 이 다음에는 공부하고 가면 붙겠지 한 것이 일주일 만에 다시 가더니 또 떨어지고 왔다. 벌컥 화가 났다. 앞에 앉혀 놓고 어미는 혼자 공부했는데도 그것도 못하는 영어 실력으로 두 번째는 붙었건만 영어가 국어인 사람이 이럴 수는 없다고 이게 무슨 창피한 노릇이냐며 혼쭐내며 기를 죽였다. 그리고 시험지를 점검했다. 틀린 답들이 과연 아들다웠다. 양보 팻말에서는 어떻게 해야 하나? 하는 문제에 '꼭 멈춰야한다'는 답을 썼다. '양보'라는 의미는 저쪽에서 차가 오지 않으면 가도 되는 것이 정답이다. 그런데 아이는 "엄마도 꼭꼭 멈추데요."하는 것이 아닌가. 또 다른 문제는 '식구 중 급한 환자가 발생하였을 경우 운전면허증이 없는데 어떻게 하느냐?'는 질문이었다. "

절대로 운전해서는 안 된다"가 정답이다. 그런데 아이는 '빨리 응급실로 태우고 간다.'라고 썼다.

옆에 있던 아이의 아버지는 "네 마음은 이해를 한다. 백번 그래야지. 그러나 정답 난에는 그렇게 쓰면 안 되지."라고 조용히 말씀하셨다.

한심스러웠다. 풀이 죽어 고개를 숙인 아이에게 단호하게 소리를 쳤다.

"9학년 때 배운 그 과목 다섯 번 이상 읽지 않으면 다시는 시험 보러가지 말아라. 혹 세 번째도 떨어지면 수수료는 네가 만들어서 지출해야 한다. 남의 집 잔디를 깎아주든 유리창 청소를 해주든 차를 씻어주든 무슨 방법을 동원해서라도 수수료 한번은 내 책임이지만 그 이상은 네 책임이다."라고 윽박질렀다.

이삼 일 후 저녁 무렵 제 아빠의 차에서 내린 아들 녀석이 가게 안으로 깡충깡충 뛰어 들어왔다. 그 시간엔 집에서 숙제를 하고 있어야 하는데 웬일일까. 의아해 하는데 놈은 내게 다가오더니 주머니 속에 소중하게 접혀져 있던 이론시험 합격 통지서를 보여주는 것이 아닌가.

"아니, 우리 아들이 언제 공부를 해서 합격을 했을까"라며 칭찬을 해주자 부자가 자초지종을 이야기 한다. 책보기를 싫어하는 아빠가 아들을 안쓰럽게 생각하여 불합격한 시험지 두 개로 복습하는 방법을 택했다고 한다. 그리곤 두 남자가 살짝 시험을 보러간 것이다. 시험지 종류가 여러 개이며 한

번 본 시험문제는 다시 주지 않는다고 하는데 배짱 좋게 그리 했단다.

아이들이 보는 시험은 앞뒤로 40문제 4지 선다형이었다. 83점 이상을 받아야 합격이다. 그래 7개 이하 틀리면 합격이요 8개 이상 틀리면 불합격이다. 앞뒤 문제를 모두 푼 아이는 시험지를 들고 채점관 앞으로 가서 채점하는 것을 지켜보았다. 그 채점관이 한쪽의 채점을 끝냈는데 5개의 오답이 나왔다고 한다. 뒤를 볼 생각도 안하고 "합격이십니다"했다는 것이 아닌가! 아들 녀석은 순간 눈을 부라리고 호통칠 어미의 얼굴이 떠오르고 수수료 만들기에 어려운 생각이 겹쳐지자, '네' 하고 합격증을 받는 곳으로 금세 달려가고 싶었으나 양심상 그리 못하고 채점관에게 "뒤쪽도 보셔야지요." 해서 뒤쪽을 점검하는데 틀린 답이 4개가 더 나와 또 떨어지고 말았었다. '이젠 엄마의 꾸지람만이 기다리고 있겠구나. 생각하며 떨어진 시험지를 받아들고 발길을 돌리는데 그 채점관이 다급하게 부르면서 다시 한번 해보자고 하더란다. 자신의 실수를 막아준 것을 고맙게 생각했으리라. 그리하여 겨우 턱걸이 합격을 했다는 것이다.

이야기를 듣다 보니 하마터면 큰일 날 뻔했다. 만약에 앞면만 채점한 시험관의 말대로 그냥 합격되어 나왔다면 일생 동안 지니고 다녀야 할 운전면허증을 바르지 못한 방법으로 받았으니 께름칙한 일생을 살았어야 할 것 아닌가! 그런 면허증을 갖게 되었다면 이 어미는 협박과 공포를 준 배후 인물이 되었을 것이다. 누구에게나 장점 한 가지는 있다고 하더니 아이에게는 분명 양심이란 게 있었던 것이다. 선한 그 양심이 유혹을 물리치고 속임수가 아닌 턱걸이 합격증을 얻었으니 얼마나 다행인가. 덕분에 못난 어미 역할로 인해 평생을 후회하며 살아야 했을 것을 막아 준 셈이다. 내 말을 어기고 공부하지 않고 갔던 노여움도 사라지고 말았다.

큰소리 칠만한 시간이 아닌데도 어미라는 권위를 이용하여 목소리를 가다듬고 잔소리를 하고 있었다.

"아이야, 일생을 그 양심 버리지 말고 살아가거라 세상 살아가지면 통과해야 할 시험도 닐려있고 그 시험만큼이나 유혹의 순간들이 많이많이 도사리고 있단다. 꼭 오늘처럼 살아야 한다."라고.

요술 방망이들

전에는 전화통이 요술 방망이인 줄 알았습니다. 자랑스러운 일이 있을 때나 어려운 일이 있을 때는 꼭 이 전화통 앞에 앉아서 버튼을 눌러댔습니다. 백점짜리 시험지를 손에 들고 엄마에게 달려가듯이 그렇게 전화통 앞에 앉아 번호판을 눌러댔습니다. '엄마 모셔 와라' 뚝딱하고 번호판을 눌러대면 수화기 저 너머에 팔순의 어머니가 나오십니다. 이내 저편에서 "오냐 오냐. 그래."하며 기뻐해 주시고, 마음 아파하던 사람 위로해 주자고 꾹꾹 버튼을 눌러대면 저편에서 아픈 목소리 들려옵니다. 이런 저런 이야기 주고받다 보면, 금방 웃음이 실실거리며 아픔을 몰아내줍니다. 슬픈 일이나 억울한 일이 있을 때, 언니에게 번호를 눌러대면, 언제라도 수화기 속에서 따뜻한 언니의 목소리가 들려옵니다.

"너는 소중한 사람이다. 모든 걸 참아낼 수 있는 사람이다"

라고 따스한 언니의 목소리를 들으면 금세 얼었던 마음이 녹아내립니다.

외로움이 거미줄처럼 내 몸을 칭칭 감아올릴 때, 수화기를 들고 세상일에다가 내 생각 집어넣어 어쩌고저쩌고 수다를 떨면, 역시 저쪽에서 "맞아 맞아" 맞장구 쳐주는 다정한 친구의 목소리를 가져다주는 전화통은 나에겐 신기하기만 한 요술방망이었습니다.

그러나 이젠 그것보다 더 좋은 방망이를 찾았습니다. 컴퓨터 앞에 앉아 오늘 흘러간 시간 속에 어떤 일이 있었었나! 손가락으로 째깍째깍 눌리대면 얌전하게 사신의 장 열어 이야기 들어주기를 원하는 파일들이 얼굴을 밉니다. 이것저것 필요한 것 물어보면 세상 모든 정보 고스란히 눈앞에 가져다주고, 어느 홈페이지에 들어가서 '내 수다 들어 보세요.'하고 글을 올리면 지구촌 구석구석 어디에선가 알 수 없는 보이지 않은 눈들이 내가 조잘거려 논 수다 읽어 주고 반응을 보내줍니다. 게다가 눈앞에 모든 좋은 것 가져다 놓고 손가락으로 이것저것 눌러대기만 하면 욕심내는 데로 배달까지 해주는 컴퓨터는 전화통하고는 비교할 수도 없는 요술통입니다.

그러나 이것들보다 더 좋은 것이 내게는 있습니다. 눈을 뜨지 않아도 됩니다. 손가락을 움직일 필요조차 없이 마주잡으랍니다. 소리 내지 않고 마음속으로만 불러도 되는 아주 편리한 요술통이랍니다.

"주님 저 길 가기가 무섭습니다." 하고 응석부리면 "무서워하지 마라 내가 항상 같이 있을 것이다"라고 대답해 주고, "미운 사람 껴안아 주기 싫습니다"라고 투덜대면, "싫어하지 말고 끌어안아 주어라. 내가 너를 끌어안아 주었듯이"라고 미소지어줍니다. 또 "전 지금 피곤합니다"라고 불평하면 "망설이지 말고 여기와 쉬어라"라고 대답해 주고, "너무 가난합니다"라고 한숨쉬면, "무엇이 필요하냐? 세상이 내 것이고 너는 나의 딸이다"라고 살포시 저를 안아줍니다.

언제나 힘들고 지칠 때, 눈감고 조용히 말씀드리면 한결같이 들려주시는 그 음성, "오냐 내가 여기 있다"라고 귓가에 들려주면 잊어버릴까봐, 눈앞에 놔두시면 사라질까봐, 가장 깊은 마음속에 주님 찾아오시게 하는 기도는 이 세상 아무것 하고도 견줄 수 없는 나에게는 가장 소중한 요술 방망이입니다.

4 부
새들의 이야기

새들의 이야기

춤추는 나무들

삶을 이끌어준 말씀들

세대교체

아이의 히로

칭찬하기

두 살짜리와 함께

잔치를 빛내는 마음

어느 날

신장결석을 앓고 나서

겨울나무 속의 생명

나의 힘이 되신 여호와여 내가 주를 사랑
하나이다(시편 18:1)

새들의 이야기

운동화 끈을 단단히 고쳐 매고 아침 산책길에 올랐다. 잔디밭을 지나 커브를 돌면 푸른 물결 일색인 상수리나무 길을 만난다. 상점들 뒤로 5백 미터는 족히 될성싶게 줄지어진 상수리나무 가운데 신비스럽게도 아침마다 새들이 모여 있는 나무 하나가 유독 눈에 들어왔다. 다른 나무들과 키나 크기도 엇비슷한데 새들은 언제나 그 나무에만 모여들었다. 혹시 특별나게 새들이 좋아할 만한 먹이감이 있나 싶어 유심히 살펴보았지만 그러한 흔적도 발견할 수가 없었다. 그 나무에 얼마나 많은 새들이 한꺼번에 지저귀든지 짜글거리는 소리가 수십 미터 전방부터 드럼 치는 소리보다 더 요란하게 들려 왔다.

아직 푸른 고깔을 쓴 익지 않은 상수리들이 제법 흩어져 있는 나무 밑에 다다라서 위를 쳐다보았다. 새들은 보이지 않고 파란 이파리들만 나풀거릴 뿐이었다. 그들의 모습이 보고 싶어서 고개를 쳐들고 나무 위를 열심히 바라보았으나 새들을 발견하지 못하고 내 모습만 보여주는 꼴이 되고 말았다. 그렇게 한참동안이나 인기척에도 이 놈들은 나를 무시한 채 재잘거림을 멈추지 않았다. 내가 오히려 새들에게 놀림을 당하고 있는 것 같은 묘한 느낌에 멋쩍어 슬그머니 몇 발사국 옮겨봤더니 이놈들 좀 봐! 대수롭지 않은 것이라 판단했는지 날아가지도 않고 태연자약 여전히 이야기만 계속하고 있는 것이 아닌가.

나도 여기 서 있다는 것을 알리고 싶은 장난기가 발동하여 콘크리트 바닥에 한 발을 탕 하고 굴러 봤다. 순간 시간을 뚝 잘라 논 것처럼 조용해지는 것이 아닌가? 신기하게 이야기들을 멈추고는 이파리 뒤에 숨은 채 나의 눈치를 보고 있는 새들. 그러면 그렇지, 내가 누구라고 감히 이놈들이. 그러나 잠시 미안하고 안쓰러운 생각이 들었다. 그들의 공간을 침입자가 되어 얼마나 그들을 놀라게 했을까.

도대체 왜 날마다 이 나무에만 모여들어 무슨 이야기들을 그리하고 있을까? 그들의 이야기가 너무 궁금하여 자리를 옮겨 그곳에서 주위를 살펴보고 있는데 그 나무가 'TOM FOSTER ATTORNEY AT LAW' 라는 변호사 사무실 바로 앞에 있었다. 그리곤 이내 그들의 이야기를 듣기 시작할 수가 있었다.

옳지! 어제 저 변호사를 따라 법원에 갔던 게지. 손님인 독

일아저씨 P가 배심원 소환 때문에 법원에 간 것도 보았겠네. 맡을 사건이 끝날 때까지 몇 번이나 재판에 참가해야 한다는 번거로움 때문에 자신은 영어를 잘 못한다는 핑계로 배심원 의무를 대신하고 왔다는 소식을 말하는구먼 그래. 여변호사 제넷이 맡았던 골치 아픈 사건이 이겼다고? 이혼한 부부가 자신들이 누릴 주말의 자유를 방해 받지 않기 위하여 둘 사이에서 태어난 아들을 주말에는 서로 맡지 않으려고 옥신각신 했다는 걸 이야기 하고 있는 거라고? 아내를 죽인 혐의를 받고 있는 남편이 물증이 없어 재판만 거듭 된다고? 그렇지 않아도 여자 친구는 결혼한 사람인줄 몰랐다고 하고, 남편 되는 자는 자기 아내가 여자 친구를 사귄다는 이야기를 듣고도 이해해 주었다고 하는 타이틀 밑에 그들의 사진이 나란히 실린 신문이 길가 가판대에 나와 있었다. 뻔질뻔질한 그들의 얼굴이 비위를 상하게 해서 "야 거짓말 좀 작작해라. 잘도 이해해주었겠다" 하면서 지나왔었다. 그러나 제법 근엄하게 지저귀는 다른 새가 말한다. "만에 하나 안 죽였다는 그 남편 말이 사실이면 어떡할래? 아내 잃고 범인 취급당하고 있는 그가 제일 큰 피해자 일 수도 있어!"하고 지저귀는 것이었다.

왜 하필이면 변호사 사무실 앞에 있는 나무에 새들이 모여 있어 아침부터 이런 유쾌하지 못한 이야기들을 듣고 있을까? 저기 우체국 앞이라면 훨씬 정다운 이야기가 오고 갈수 있었을 터인데. 혼자 생각하고 있는데 새들은 다시 이야기한다.

"우체국은 왜 가? 너의 세탁소 앞으로 가볼래. 사실은 가보지 않아도 훤히 알고 있는데 뭐. 너 어제 꾸무럭거리며 일한다고 일꾼들에게 눈 흘겼잖아? 열심히 일하는 그들 옆에서 하모니카도 불고 있었으면서! 노인 손님이 바지 하나 들고 와서 까다롭게 군다고 불친절하게 대해 주었는가하면 노린내 나는 셔츠 빨아줄까 말까 갈등했었지? 또 안면이 없는 손님이라고 수표를 믿을 수 없다는 표정으로 꼬치꼬치 따져 물었지? 급하게 의논할 것 있다고 걸어온 전화를 손님 때문에 시큰둥하게 대답했었지? 몇 달 전에 찢어진 채 가져온 옷 세탁해 주었더니 너희가 찢었다고 새 옷 값을 변상하라고 생떼 썼던 손님 어제 왔을 때 그 감정 버리지 못하고 속으로 욕했고 말이야." 새들은 숨도 쉬지 않고 재잘거렸다.

난 더 이상 그 자리에 서 있을 수가 없었다. 얼마나 더 많은 구린 것들을 들춰내며 재잘거릴지 겁이 났던 것이다. 하늘에선 동그랗고 하얀 얼굴을 한 달조차 장난기 가득한 웃음을 띤 채로 나를 쳐다보는 듯 하였다. 슬슬 서너 발짝 뒷걸음질 치다가 급기야는 뒤로 돌아 있는 힘을 다해 그들의 소리가 들리지 않을 때까지 뛰었다.

그런 나를 아직 검회색 기운을 서쪽 나무 숲 위로 길게 깔고 있는 아침이 맞아주었다. 모든 일을 만회할 수 있는 새로운 하루가 시작되는 아침이다. 오늘만큼은 실수가 없는 특별한 날로 만들어 보아라. 칭찬 받을 일 많은 날로 하는 격려의 말과 함께.

춤추는 나무들

  이른 아침 문을 활짝 열어보았습니다. 밤새 굵은 비가 내리면서 만들었던 빗소리는 자장가였습니다. 자장가 같은 비가 씻어준 공기는 신선하기만 했습니다. 열어놓은 문으로 뛰어 들어와 가슴 속을 깨끗이 닦아줍니다. 기왕이면 맑은 공기 속에 온몸을 담겨 볼 요량으로 문 밖으로 나아가 봤습니다. 눈앞에 경이로운 풍경이 다가왔습니다. 나무들 가득한 공원 뒤편의 서쪽 하늘은 검회색 구름이 무대 뒤에 내려온 벨벳 커튼처럼 드리워져 있고 동쪽에서 솟아오는 해는 무대 위의 나무들을 조명 같이 비춰주고 있습니다. 다소곳이 서있는 나무들은 자신의 차례에 맞춰 올라온 무용수들입니다. 마침 잔바람이 그들 옆을 지나가니 아이들의 짝짜꿍처럼 바르르 두 손을 맞잡아 박수를 쳐 보냅니다. 한쪽 구석에 서 있는 수양버들에 스치는 엷은 바람은 가지들을 들썩하게 하여 아리랑을 추게 하고 싶었던 모양입니다. 단순하고 곧바로 서있는 전나무에 부는 바람은 절도 있는 몸동작과 다리를 쑥쑥 뻗어가며 상체를 자주 눕히는 허리춤을 추기에 알맞을 것입니다. 무대 위에서 춤잔치를 기다리고 있는 나무들의 놀라운 모습은 강풍이 몰려온다 할지라도 짜증내지 않을 준비가 되어 있었습니다. 짜증이라니요! 바람을 타고 몸을 뒤척이며 신명나는 북춤이나 남미의 정렬적인 살사춤까지 추어볼 준비가 되어 있습니다.

춤출 준비되어 있는 모습을 알기나 한듯 강한 바람 한줄기가 나무들을 흔들어 대고 있습니다. 아리랑을 추던 버드나무는 훨훨 나비같이 원삼 자락 휘날리고 추는 승무로 변해 있고 짝짜꿍 손뼉 치던 포프라 나무는 쏴아 하는 소리와 함께 차차차를 추고 있습니다. 키 작은 두 단풍나무들 조금만 가까우면 손을 잡고 경쾌한 왈츠라도 출 듯합니다. 옆으로 몸을 비트는 버찌나무는 트위스트를 추고 있었습니다. 미처 떨어지지 않았던 꽃 이파리 포르르 무리지어 떨어지고 있었습니다.

자세히 보니 열심히 몸을 흔들면서 춤을 추는 나무들은 춤만을 추는 것이 아니었습니다. 중요하고도 힘든 일을 하고 있었습니다. 필요 없이 달고 있었던 것들을 떨어뜨리는 작업을 하는 것이었습니다. 아직도 붙어 있는 말라버린 나뭇잎, 떨어지지 않고 있었던 열매 등 지난해의 잔재들과 그리고 쓸데없이 많기만 한 새잎들을 정리하고 있었습니다. 다시 시작하는 한해의 실한 열매를 위하여 솎아주느라 한사람의 관객에도 개의치 않고 춤사위를 벌이고 있었던 것입니다. 그렇다면 바람이 나무에만 불 것이 아니라 내 속으로도 불어오길 고대하여 봅니다. 들어와서 마음을 자꾸만 흔들어 주어야 할 것 같습니다. 내속에는 떨치려 해도 떨어지지 않고 달라 붙어있는 것들이 있습니다. 의심의 마음, 슬픔, 절망, 욕심, 아집, 비교 등의 추한 것들을 흔들어 주어야 합니다. 노력하여도 악몽처럼 붙어 있는 이것들은 나의 아픔들입니다. 평생을 싸우고 있는 숙제들, 이른 아침 열려진 문을 통해 들어온 바람이 흔들어 주기를 간절히 바라고 있습니다. 아리랑의 부드러운 동작으로는 안 될 것입니다. 짝짜꿍의 어설픈 손놀림으로도 어림없을 것입니다. 굿거리장단으로는 흔들어 댈 수 있을까요? 아마도 온전히 뽑아내려면 광기에 가까운 몸부림, 플라멩코 춤이라면 혹시 모르겠습니다. 20여 폭의 드리운 사락 안에 10여 겹의 속치마로 만들어진 풍성한 치마, 고갱의 화폭에 장식된 슬픈 원색으로 물들인 자락을 손으로 잡고 흔들어 대고 추어야 하는 몸부림 같은 그 춤이나 털어낼 수가 있을 것입니다.

회오리가 지나간 무대위에는 아리랑 자락 버드나무를 흔들고 짝짜꿍이 참나무 숲 사이를 돌아다니고 있습니다. 좁다란 실내로 다시 들어와 거울 앞에 서서 빗소리 자장가로 피로를 씻어낸 마음 안으로 광풍 같은 말씀 한줄기 밀어 넣고 있습니다. '사랑 하여라. 참아주어라.'

한바탕 마음을 씻어줄 그 말씀이 지나간 자리는 뽀얀 평안이 주인 노릇하고 있을 겁니다. 그때쯤에는 호수 빛 하늘아래 끝없이 펼쳐진 초원에 나아갈 겁니다. 너울너울 긴 소매 출렁이며 멋들어진 학춤이나 한 바탕 추어볼까 해서요.

삶을 이끌어 준 말씀들

　지금도 생생한 그 목소리 들리는 듯하다. 검은색 칠판을 꽉 채운 듯한 사람이 있고 그 사람 양쪽 가슴엔 떡잎 두 개가 활짝 펴진 새싹이 하나씩 그려져 있었다. 지휘봉으로 가리키시면서 우리를 향하여 하시던 말씀이 생각난다.

　"마음속엔 누구나가 좋은 나무와 나쁜 나무의 싹을 하나씩 담고 살아가고 있습니다. 이 나무들은 사람들의 생각과 행동을 거름삼아서 성장하여 가고 있습니다. 좋은 생각과 행동은 좋은 나무를 키우지만, 나쁜 생각과 악한 행동은 나쁜 나무에 물을 주는 격이 됩니다. 좋은 나무를 키우든 나쁜 나무를 키우든 그것은 사람들 하기에 달려 있습니다. 그러나 잊어버리지 말아야 할 것은, 좋은 나무가 무성해지면 나쁜 나무는 저절로 시들어 죽어버리며 나쁜 나무가 무성해지면 좋은 나무 또한 죽게 됩니다. 여러분은 부디 좋은 나무를 키우는 사람들 되어야 합니다."

　곱실한 머리가 어깨 아래까지 찰랑거리고 주름치마에 분홍 블라우스를 에쁘게 입으신 선생님의 모습이 지금까지 눈에 선하다. 예쁜 그 선생님이 좋아서 머리만 한번 쓰다듬어 주어도 하루가 즐겁던 시절, 혹여 이름이라도 부르거나 심부름이라도 시키실 때는 입이 다물어 질 줄을 모르고 좋았었던 그 시절, 그 자리에서 좋은 나무를 키우는 사람 되리라고 결심하기 몇 번이었던가. 그 후 인생을 살아가면서 나쁜 일들을 할 수 있었던 사건 앞에서 멈춰 서게 된 것은 오직 그 때의 말씀 때문이었다. 구멍가게 맛있게 보이는 사탕 앞에서 친구들과의 지키기 어려운 약속 앞에서, 시험지를 받아들고 공부 잘하는 짝의 시험지에 곁눈질 하지 않았던 것도 그 음성 때문이었다. 지금도 곧잘 양심에 꺼리는 일을 해야 할 때는 문득 어릴 적 좋은 나무이야기를 생각해 내기도 한다.
　한번도 다시 뵙지 못한 선생님.
　내 언니와 나는 다섯 살 차이다. 그때 언니가 초등학교를 졸업할 때 몇 장 되지 않는 졸업 앨범이 있었다. 한참 자란 뒤에도 문득 그 선생님이 보고 싶으면 앨범을 들쳐보곤 했다. 타원형 속안에 들어있는 길쭉한 얼굴, 동그랗고 커다란 눈, 낮은 콧날에 도톰한 입술의 얼굴 밑에는 1학년 2반 담임 김인례 선생님이라고 쓰여 있었다.

중학생이 되었다. 지나가는 버스를 한번 보기만 하여도 온 가족에게 자랑을 하던 시골아이인 내가 버스를 타고 읍내로 통학을 하게 되었으니 학교 가는 것이 더 없는 기쁨이요 자랑이었다. 더군다나 까만 교복에 하얀 칼라를 달고 벨트로 허리를 묵고 소매 끝에 둘러진 날렵한 하얀 선 하나는 신입생임을 말해 주었다. 방과 후에 집에 돌아오면 골목마다 꼬마들이 선망의 눈빛으로 바라보곤 했던 그 차림은 읍내 아이들의 세련된 옷차림과 같은 수준으로 만들어 주어 마음까지 한껏 자랑스러웠다.

잔가지가 머리를 막 풀어 헤치려는 것 같이 작은 이파리들을 풀어 헤치는 봄날, 햇빛이 남쪽 향한 유리창으로 풍성하게 들어오는 오후였다. 교무실을 다녀온 주번이 수학 선생님께서 결근 하셔서 자습이라는 기쁜 소식을 전해주었다. 점심 후라서 나른한 몸으로 졸음이 오려고 했던 우리들의 눈들은 환희로 빛나고 있었다. 반장이 나서서 어떤 방법으로 자습을 할 것인가에 대하여 의견을 나눌 때 스르르 출입문이 열렸다. 날렵한 동정이 달린 자줏빛 한복저고리에 무릎까지 오는 치마와 검정 구두로 멋을 내신 교감 선생님께서 들어오신 것이다. 말씀하시는 것을 뵌 적이 별로 없고 단아하시고 점잖으신 모습이 멀리서 뵙기만 해도 그 자리에서 머리 조아리고 인사를 하게하곤 했었는데 자습시간에 출석부도 아무 교제도 없이 맨손으로 자유를 만끽하려는 계집아이들의 교실 안으로 들어오신 것이다. 초롱거리는 눈동자들은 모두 교감 선생님을 주목했고 말씀을 기다렸다. 조용조용한 목소리로 자신을 소개하신 후 칠판 오른쪽과 왼쪽 끝에다가 위에서 아래로 선을 그으셨다. 그리곤 말씀하셨다. 중학생활의 시작인 여러분은 지금 여기 한쪽 끝에서 다른 한쪽 끝까지의 경주가 시작되었다고. 초등학교의 모든 생활은 지금부터는 중요하지 않다시면서 일등과 백점이 중요한 것이 아니라 얼마나 모든 일에 최선을 다하면서 뛰었느냐가 중요하고 말씀하셨다. 계속해서 이것을 시작으로 해서 여러분들은 일생을 지나온 것에 얽매이지 말고 항상 서있는 그 자리에서 새롭게 시작하는 삶을 살라는 말씀을 심각한 얼굴로 간곡히 당부하셨다. 그 순간의 말씀과 표정이 마음속에 각인이 되어버렸다. 지금껏 살아오면서 수없이 많은 절망의 순간 속에서도 내일을 바라볼 수 있었다. 어제의 일을 모두 털어버리고 새날과 함께 시작하는 방법을 가르쳐주신 것이다.

그리고 앞만 보며 달려온 아득한 세월!

늘 분주하게 살아오다 보니 자신을 잊고 살았던 많은 시간들. 아이들도 자라서 모두 대학에 갔다. 특별하게 뭘 해주었던 기억도 없는데 그들이 가고 난 자리는 컸다. 바쁜 일상을 갖은 나에게도 감당하기 어려운 허전함으로 다가왔다. 이제부터는 뭔가 자신이 기뻐할 수 있는 일을 해야겠다는 생각이 들어 오랜 만에 예쁜 노트 한 권을 샀다. 연필도 한 다스 사서 뾰쪽하게 깎아 놓고 내 생활을 쓰기로 했다. 그러다가 기왕 쓰려면 좀 정식으로 써보자는 생각이 들었다. 마침 한국을 나가려는 지인이 연락을 해 왔다. 한국에서 특별하게 가져올 것이 있느냐고. 잘됐다 싶어 수필이나 시 작법 책들을 부탁했다. 돌아온 그분으로부터 책을 건네받은 나는 놀라움을 감출 수가 없었다. 〈수필 창작 입문〉이라는 책의 저자란에는 삼십 년의 세월도 그 모습 가리지 못한 나의 은사님 사진이 들어 있는 게 아닌가. 아직도 생생하게 기억되는 그 어르신의 모습을 뵙고 당장 출판사로 전화를 해서 연락처를 얻었다. 더욱 놀라운 일은 어제 헤어진 사람 알아보시듯이 "그래 너구나. 외국 나가 살고 있다는 소식을 들었다" 하시는 것 아닌가? 어찌 그 기억력 앞에서 놀라지 않을 수가 있겠는가.

선생님은 끝없이 펼쳐지는 팔을 가지고 헤아릴 수없이 많은 후진들을 양성하는 대학에 계셨다. 거대한 산으로 자리하고 계셔서 배우고자 하는 모든 사람들을 끌어안고 기다리고 있으셨던 것처럼. 나에겐 한마디 한마디의 말씀이 힘이 되고 일어설 수 있는 받침대가 되어버렸다. 어렵게 그려낸 졸품 한 줄 보내드리면 그래, 그래 그리 쓰면 되는 거라 하시는 말씀은 녹슬어져 있는 머릿속을 닦아주시는 기름 친 수건이요, 가슴 속에 케케묵은 세월의 앙금을 씻어주시는 옹달샘 속에서 솟아나오는 약수였다. 그 약수는 가슴 속에서 그리운 이들을 향하여 감히 나올 용기를 갖지 못하고 꼼지락대고만 있던 말들을 튀어나오게 하는 마술의 말씀이기도 하였다. 20여 년의 외국생활에 읽을거리도 또 생각을 할 만한 여유도 갖지 못하고 살아 무의미 속으로 침체 될 수밖에 없었던 존재를 끌어 올려내시어 자존감을 살려주신 나의 선생님! 이제부터라도 의미 있는 생을 살아가겠다는 다짐을 올려 드리고 싶다.

선한 마음을 키워가는 방법을 쉽게 가르쳐 주셨던 어릴 적 그 선생님, 절망이었던 하루를 접어두고 아침마다 다시 시작하는 자세로 서서 저녁을 향하여 최선을 다해 뛸 수 있는 지혜를 알려주셔서 언제나 희망을 잃지 않게 해주셨던 선생님. 그리고 무의미 속에서 의미를 찾아 가면서 살게 해주신 그 말씀들은 오늘도 다시 한번 하늘을 바라보며 소망을 가질 수 있게 해주고 있다.

한량없는 그 은혜에 고개를 숙일 수밖에.

세대교체

벚나무 검은 가지에 피어난 뽀얀 꽃들이 화려한 봄을 장식해 주고 있다. 날이 감에 따라 연녹색의 이파리들이 꽃들 사이에서 피어나기 시작하더니 문 밖에 있는 풍경은 푸른 기운이 우윳빛을 조금씩 침노하고 있었다. 푸른 기가 점점 성하여지더니 며칠 사이에 우윳빛은 조금 밖에 남아 있지 않았다. 이른바 나무줄기에서 세대교체를 하고 있었던 거다. 내 머리에서도 검은머리와 흰머리의 세대교체가 벌써부터 시작되어 진행 중인 것이다.

세대교체! 자연 속에서 살아가고 있는 생명력 있는 모든 것들에게 이루어지고 있는 것, 흘러가는 세월을 따라 자리를 차지하기도 하고 자리를 비워주고 떠나가기도 하는 것이다. 세상이란 무대 속에서 살고 있는 생명들은 스스로가 맡은 역이 끝나면 다음의 출연자를 위하여 무대 뒤로 가야 할 것이다. 관객들의 박수 소리에 빠져서 죽치고 무대를 차지하고 있을 수는 없다. 자신의 시간을 알고 자리를 잘 지키다가 물러날 때를 맞추어 자리를 비워 줄 줄 알았던 사람을 말하라 하면 언제고 성경 속의 요한을 들 수 있다. 예수님을 증거하고 예수님에게 세례까지 해드렸던 요한이지만 자신의 제자들 앞에서도 그는 예수님이 참 메시아이심을 선포했음은 물론이요 '그는 흥하여야 하고 나는 망하여야 된다.'고 외쳤던 사람이다. 그의 모습을 통하여 자신의 자리를 아는 일이 얼마나 지혜로운 일이며 자신의 역할을 확실하게 아는 일이 얼마나 중요한 일인가를 배운다.

흔히 떠나야 할 때를 잘 모르고 머무적거려 한평생 수고하여 이루어 놓았던 업적들을 순식간에 무너뜨리는 권력자들을 볼 때 안타깝기만 하다. 맛있는 음식이 오물과 함께 담겨진 느낌이어서 역겨워진다. 담겨져야 할 그릇에 담겨져 있는 모습은 얼마나 멋있는가?

나도 이젠 나의 세대가 지나가고 있음을 실감할 수가 있다. 어느 모임을 가도 나이 어린 자가 되어 이 사람 저 사람이 부담 없이 잔일을 시켜서 활동을 많이 하였던 시절이 그리 오래 전이 아니었다. 하지만 이젠 어디를 가나 나보다 어린 사람들이 더 많아졌다. 나를 향한 말씨들은 정중하고 우스갯 소리도 자기들끼리만 속닥거린다. 우리 또래가 예전에 그랬던 것처럼. 내가 늙은이가 되어가는 징조가 분명하다.

더 현실적인 것은 친구들이 며느리를 본 이가 생겨나고 내 아들도 얼굴에 가득한 수염을 힘들게 면도질 하는 것을 곁눈질로 쳐다보기도 한다. 나의 착각일지도 모르지만 아직은 아들 녀석의 마음속에 어미가 세상에서 가장 사랑스러운 자로 알고 있을 것이다. 그러나 나는 안다. 곧 그 자리도 내 놓아야 할 때가 올 것임을. 속으로 멋있는 시어머니가 되리라 다짐을 해 본다.

자신이 서야 할 자리를 정확히 아는 것은 지혜이리라. 그 지혜는 으뜸이 아닌 들러리로도 만족할 줄 아는 겸손한 마음에서만 나온다. 훌륭한 악단은 제 이의 바이올린 연주자가 얼마나 훌륭한가에 따라 결정된다지 않은가? 앞선 자보다 들러리의 역할이 얼마나 중요한가를 증명하는 말이리라.

바람에 사르르 떨어지는 꽃잎의 모습이 만개했을 때의 아름다움과 다를 바 없이 느껴지는 이유는 물러나야 할 자리를 알고 있는 것처럼 느껴지는 탓이리라. 떨어지려면 깨끗이 떨어져라. 이파리 뒤에 초라하게 빛바랜 모습으로 남아 있지 말고. 너희들의 임무는 잎이 나오기 전까지만 가지를 장식해야 하는 것이었으니까.

머릿속을 흰머리가 장악한다고 할지라도 문제가 되지 않고 허전하지도 않을 것이다. 그것보다 얼마나 멋진 들러리였던가? 와 얼마나 깨끗하게 나의 자리를 물려주고 나왔던 가의 물음이 더욱 무겁게 나를 흔들 것이다.

아이의 히로(HERO)

숙제를 한다고 컴퓨터 앞에 앉아 있던 아이가 프린터에 종이가 떨어졌다고 엄마를 졸라 문방구에 갔다. 어찌 저모양일까? 이일 저일 정신 못 차리게 많은 일을 벌여 놓고... 시간에 늘 쫓기며 살아가는 아이를 보면 열심히 사는 모습은 좋지만 너무 어지럽게 사는 것 같아 마음이 찜찜하다. 이제 겨우 고등학교 일학년이 아닌가. 벌써부터 저리 법석을 떨면서 정돈되지 않은 삶을 살다보면 자라서는 어찌 될까 염려가 된다.

미스터 김은 보던 신문을 접어놓고 혀를 끌끌 차며 아이의 생활을 못마땅해 하다가 숙제를 하던 컴퓨터 앞에 앉아 보았다.

스크린은 막 끝내 논 'My hero'라는 제목의 영어 작문 숙제를 담고 있었다. 그는 눈가는 대로 읽어 내려가다가 그만

엉엉 울고 말았다. '작은 동양남자'라는 부제가 달려 있는 그
작품은 이렇게 쓰여 있었다.

나의 히로(작은 동양남자)

이름 OOOOO

아빠랑 같이 맥도날드에서 점심을 했다. 끝나고 나오는데 맞은편
에 힘이 하나도 없어 보이는 노숙자 한 사람이 낡고 작은 가방
을 끌어안고 벽에 등을 기대고 앉아 햇빛을 쬐이고 있었다. 아빠
는 내 손을 잡아끌고 급하게 맥도날드 안으로 들어섰다. 노숙자
앞을 지나가시기가 싫어서 다른 문을 사용하려니 생각하며 아
빠의 얼굴을 쳐다보는데 카운터로 가시더니 넘버원 캄보 두개를
시키신다. 노숙자 손에 그것을 들려주시고는 차에 앉으신 아빠는
빙그레 웃으신다. 그의 행동을 지켜보던 나는 갑자기 몇 번 듣던
아빠의 이민 초기의 이야기가 생각이 났다. 나는 알고 있다. 우
리아빠가 미국에 오실 때 주머니 사정이 어떠하셨는가를.
온 식구들이 2년 전에 미국에 이민을 떠나버린 고향은 제대한
그를 반겨줄 사람이 아무도 없었다고 했다. 그의 나이 25세였다.
이종 사촌형님 한 분이 레스토랑에서 통닭 한 마리를 사주시고
공항까지 배웅을 해주셨다했다. 그리고 어디에서 구하셨는지
10$짜리 지폐 한 장을 주머니에 넣어주셨다고 했다. 그것이 그
의 총 재산이었다. 아빠는 그때 그분의 마음을 못 잊어서 가끔
우리에게 이야기할 때마다 눈물을 글썽이신다. 몇 번을 들었기
때문에 그때 아빠의 형편을 잘 알고 있다.
가족을 만나는 기쁨과 반가움, 그리고 미지의 세계에 대한 희망
과 두려움이 섞어진 감정으로 한숨도 자지 못하고 도착한 시카
고 오헤어 공항. 기다리고 계시는 할아버지의 손을 덥석 잡았는

데 손이 아니라 막대기이었다고 했다. 굳은살 투성이, 부드러운 부분은 조금도 없었다고 했다. 그도 그럴 수밖에. 줄줄이 딸린 다섯 명의 아이들 모두 학교에 보내자면 학비는 필요가 없었지만 생활비도 수월하지가 않아서 2년 동안을 빗자루와 걸레를 들으시고 일거리만 있으면 쉬지 않고 열심히 일을하셨기 때문에 얻어진 굳어진 손이였다. 부풀었던 희망과 비례해서 마음에 들어 있었던 불안을 미국 문턱에서 실감하고 말았던 것이다. 도착 후 말도 할 수없고 운전면허도 없어 집에서 쉬는 한달여 시간 동안 전화벨만 울리면 방으로 뛰어 들어가 이불에 고개를 묻었고, 문 밖에 나가면 마주치는 얼굴들이 말을 걸어 올까봐서 겁이 났던 그 시절 방안에만 묻혀서 꼼짝 하지 못하고 지내는 나날이었다. 괴로운 시간 속에 있던 어느 날, 집안에 있는 돈을 닥닥 긁어도 아파트 세를 낼 수가 없어 자신의 주머니 속에 그때까지 들어 있었던 10불 그리고 동생이 다른 집 아이를 보고 받아온 돈 15불까지 합하여 집세를 주는 절박한 상황에 처한 것을 보고 나니 정신이 들더라고 했다. 말은 못하지만 눈치가 있다. 운전 면허증은 없으나 받으면 된다. 생각하고 운전 시험을 봤고 돌아다니면서 공장마다 일자리를 주라고 말은 못하지만 성실하게 일하겠다는 손짓 발짓을 하며 하소연을 하던 끝에 어떤 공장에서 그 마음을 알았는지 일자리를 주었다고 했다.

12시에 시작하는 공장 일을 위하여 11시에 집을 나서 밤 8시에 일이 마쳐지면 4시간씩 청소를 해야 하는 두 곳의 일자리가 기다리고 있어 일을 끝내고 집에 들어오는 시간은 먼동이 트기 시작하는 새벽 5-6시 였다고 했다. 앞만 보면서 뛰기에 충분히 잠을 잘 시간도 머리를 깎을 시간도 사치로 생각했을 정도였다니. 그 시절을 이야기 하시는 아빠는 정신을 바짝 차리니 아플 시간조차 없었다며 너털웃음을 웃었다. 그 결과 1년이 지나고 나니 8식구가 방 세 개짜리의 아파트를 청산하고 드디어 침실 5개짜리 커다란 이층집을 살 수가 있었다고 했다. 열심히 살아오신 아빠는 늘 시간을 아껴라 성실하게 살아야 한다고 우리에게 말씀을 하신다.

이젠 다섯 동생들도 모두 학교를 미치고 결혼하여 자녀들을 두고 성공한 삶들을 살고 있다. 어려운 자신의 지난날이 있었기에 어려운 사람들의 처지를 이해해 줄 수가 있는 것일까? 이제 그는 자신의 총 재산이었던 10불보다도 더 큰돈을 써가며 주린 사람 앞에 내줄 줄 아는 사람이다. 그가 돈을 많이 벌어서 성공했다고는 생각하지 않는다. 어렵고 힘들게 시간을 쪼개 일을 할 줄 알고 자신보다는 가족을 부양했고 재산은 없지만 항상 기쁜 마음으로 어려운 사람을 돌아볼 수 있는 마음까지 있으니 성공한 인생이라 말하고 싶다. 그런 부분이 내 아버지여서 자랑스럽기만 하다. 차에 오른 아빠가 나를 돌아보시면서 하시는 말 "아가 내가 기쁜 것은 이 작은 마음이 저 사람의 고픈 배를 채우게 한 것 이란다. 혹시 너보다 어려워 보이는 사람이 있거든 그냥 지나치지 말아라. 그리고 누구를 작게나 크게 도왔거든 도울 수 있었던 기회와 네 마음만을 기뻐하고 다른 깃은 기대 하지 말아라"는 이해가 될 듯 말 듯한 말씀을 하셨다.

여기 캘리포니아 작은 도시의 한 그늘진 거리를 키 작고 세련되지 않은 평범한 동양남자 하나가 바쁜 걸음으로 걸어 갈 것이다. 비록 당신 눈에 띄지 않은 초라한 사람일지라도 그는 나의 사랑스러운 아버지요, 내가 가장 존경하는 나의 히로(My Hero)이다.

칭찬하기

칭찬만큼 생기 있게 하는 말은 없을 것이다. 칭찬을 받으면 이 세상을 살아갈 용기가 솟는다. 어린아이에게도 칭찬을 자꾸만 해주면 긍정적이요 밝은 성품을 갖게 한다. 또한 아이에게 잠재되어 있는 소질을 이끌어 내기도 한다고 한다. 하여간 어른이든 아이든 칭찬을 싫어하는 사람은 아무도 없을 것이다. 심지어 부부간에도 힘을 준다.

칭찬을 하는 것은 퍽 즐거운 일이다. 그 사람 안에 들어 있는 좋은 점을 찾아내어 그것을 본인에게 들려주는 일은 기쁜 일인 것이다. 칭찬을 받는 사람의 행복한 마음까지 합한다면 칭찬만큼 이 세상을 아름답게 해주는 일도 드물 것이다.

나이를 먹어 가면 갈수록 허전해지고 곧잘 우울해지는 이유는 세상을 이렇다고 할 자랑거리 없이 살아온 나에게만 오는 증세인지 모른다. 요즈음 부쩍 기분이 가라앉는 횟수가 늘어간다. 자꾸만 자신이 세상에서 제일 못나고 초라하다는 생각이 들고 헛살았다는 느낌이 든다. 그러다보니 아무것도 아닌 일로도 심란해지고 불쾌해진다.

　얼룩을 제거하지 못한 옷을 찾아가는 손님에게 전에는 최선을 다했는데도 되지 않는다고 상냥하게 변명하고 사과를 하는 것이 일상이었다. 그런데 요즘에는 이따위 얼룩을 왜 묻혀 왔는지 칠칠치 못한 사람 같으니라고 하는 불쾌감까지 생기고, 손님이 큰 돈을 가지고 와서 거스름돈을 많이 내주어야 하는 것도 속이 상한다. 나쁘게 내 마음이 바뀌어 버린 것이다. 아니, 숫제 옛날의 내 모습은 간곳이 없고 산뜩 골이 난 이상한 여자가 되어 서있는 것이다. 이래서는 정말 안 될 것 같았다. 무슨 묘안이 없을까 며칠을 고민하고 궁리했다. 그래도 되지 않았다.

　그렇다고 살아온 세월을 되돌아가서 보람 있고 후회 안하는 삶으로 다시 살아 볼 수도 없는 노릇이 아닌가. 설사 기적이 일어나서 지나간 시간들이 되돌려진다 할지라도'나'라는 사람은 지금과 똑같은 모습으로 밖에 살아 올 수 없으리라 생각하니 더욱 답답했다. 행동, 습관, 생각, 성격이 이 생활을 아주 맞춤으로 만들어 왔었을 테니까. 행여나 지나온 생들을 더듬어 보면 그래도 괜찮은 부분이 있지 않을까? 스스로 위로 받고 싶어서 찾아보아도 그럴만한 부분을 찾아내질 못했다. 이러다가는 지레 혼자 괴로워서 혼절하고 말 것 같은 기분이다.

궁여지책으로 앞으로의 시간들은 작은 일일지라도 꽤 괜찮은 일들을 좀 해보자고 스스로 다짐하고 나니 마음이 좀 가라앉는 듯했다. 순간 퍼뜩 떠오르는 생각 하나가 있었다. 괜찮은 일을 했다 싶으면 스스로에게 칭찬을 해주자는 기발한 아이디어가 떠오른 것이다. 칭찬을 한 사람이 칭찬을 받게 될 테니까 두 가지 기쁨을 혼자 가질 수가 있으니 얼마나 기쁘겠는가?

특별하니 칭찬할 만한 일은 물론 없을 것이니까 아주 사소한 일부터 시작하기로 했다. 덤벙대는 성격 때문에 잊어버리기를 잘하는지라 차 열쇠를 여기저기 다니면서 찾지 않고 바로 찾았다면 운전석에 앉아서 '아 착하다.'하고 손을 들어 자신의 머리를 쓰다듬어 주었다. 남편의 짜증도 참아 넘겨주고는 화장실로 뛰어가 머리를 쓰다듬어주고 손님에게 보통보다 친절했으면 보일러실로 들어가서 머리를 쓰다듬으며 칭찬해주고 보일러실까지 갈 시간이 없으면 속으로 칭찬해주고 머리만 만져주었다. 밥 먹다가 맛이 좋아 먹어야할 양보다 더 먹고 싶지만 칭찬을 위하여 참기로 했다. 웃음을 거두면 보아주기조차 민망한 못생긴 얼굴 더 크게 웃음을 지었으면 그것 또한 칭찬거리 삼았다. 그러다보니 효과 만점이었다. 아니 만점보다 효과가 더 컸다. 칭찬을 해주고 난 후에는 다음 칭찬거리를 위하여 마음을 쓰다듬어보니 마음속에 차지하고 있는 우울증은 자취를 감추고 말았다. 고래도 춤을 추게 한다는 칭찬이 나를 위해 있었나 할 정도였다. 누군가에게 칭찬을 받아본 경험이 적기 때문에 효과가 더 크지 않았나 생각한다.

　누구나 혹 우울하거나 기분이 가라앉을 때 한번 실행하여 보면 얼매가 되어 가슴 속에서 기쁨이 새록새록 나올 것이다.

　살짝 자신의 머리 위에 손을 얹고 '잘 참았구나. 잘 했구나. 참 착하구나. 그런 예쁜 마음을 갖다니.' 등의 말만 하면 벌써 기분이 살아날 것이다. 분명 칭찬은 사람을 살리는 보약임을 알 것이다.

두 살짜리와 함께

보통 귀엽게 생긴 녀석이 아니다. 큰 머리통, 유달리 뽀얀 얼굴, 뾰쪽 뾰쪽 올라오고 있는 머리카락, 크고 까만 눈이 무엇을 집중하여 볼 때 생기는 심각한 눈빛과 두 눈 사이에 보일 듯 말 듯 잡혀지는 주름, 넓고 반듯한 이마, 납작한 콧등에다가 갑자기 튀어나온 콧방울하며 작고 오목한 입술, 예쁘고 앙증맞게 동그란 선을 내고 끝난 턱. 그 밑으로 내 팔뚝의 절반보다 작아 보이는 가느다란 목이 큰 머리통을 불안하게 받치고 있다. 앙상한 몸에는 빨간 티셔츠와 베이지색 반바지를 입었다.

만화의 선량하게 생긴 주인공을 사람으로 바꾸려고 비슷한 아이를 찾아오라 하면 나는 곧 녀석의 손을 잡고 뛰어갈 것이다. 그를 본 사람마다 손뼉을 치며 잘 골라왔다고 칭찬할 것을 의심치 않을 정도로 귀여운 녀석이다. 작은 다리로 걷기도 하고 뛰기도 곧잘 한다.

어느 토요일 저녁시간 영광스럽게도 녀석과 서너 시간을 같이 보낼 수 있는 기회가 있었다. 녀석의 엄마인 나의 시누이가 볼 일이 있었던 것이다. 제 엄마가 나갔는데도 예쁜 짓을 하느라고 그러는지 보채지도 않고 잘도 놀았다. 처음엔 내가 다니는 대로 졸졸 따라다니다가 차고에서 우리 아이들이 어릴 적 갖고 놀던 장난감을 꺼내 주었더니 조용히 놀고 있었다. 동물들의 완구를 거실 바닥에 늘어놓고 집어 들고는 '곰, 코끼리, 호랑이, 고양이, 강아지' 등을 말하더니 벌렁 누워보기도 하고 던져 보기도 했다. 그러더니 싫증났는지 종이 위에다 크레용으로 낙서를 했다.

끼적거리는 아이를 옆에서 보다가 서로 이야기를 하면 얼마나 좋을까 하는 생각을 해보았다. 아직 이야기는 잘 알아듣지도 못할 것이고 할 수 있는 말이라야 한 문장도 아니고 몇 단어가 고작인 녀석인지라 통할만한 말이 어디 있겠는가? 엄마 아빠를 물으면 혹 보고 싶은 마음이 생겨 울지나 않을까 신경이 쓰여 말할 수도 없고 궁리를 하다가 대뜸 물었다.

"노아! 몇 살?"

그랬더니 녀석이 금방 반응을 보였다. 움켜지고 있던 크레용을 놓고는 작고 꼭 깨물어 주고 싶은 손가락 두 개, 검지와 장지를 V자로 만들어 내 얼굴 앞으로 내미는 것이 아닌가! 대화가 통한 것이었다. 한참을 그런 자세로 있기에 너무 예뼈 안아주고 궁둥이를 토닥거려 주었더니 다시 하던 일을 계속했다. 몇 분 후 그 귀여운 모습이 보고 싶어 다시 물었다.

"노아! 몇 살?"

조금 전과 똑같은 동작이었다. 그렇게 귀여울 수가 없었다. 놀던 아이가 냉장고 옆으로 가더니 자꾸만 손잡이를 만지려 하는 폼이 무엇이 먹고 싶다는 의사였다. 문을 열어 주었더니 자신의 주스 병을 가리켰다.

주스 병을 두 손으로 잡고 빨아먹고 있는 녀석에게 살짝 "노아 몇 살?" 속삭이니 병에서 손을 떼고 번쩍 들어 두 살을 가리키느라 병 꼭지는 입으로만 꼭 물고 있었다. 잠이 슬슬 오는 모양인지 눈이 감겨지며 투정이 시작되었다. 품에 안고 토닥거리다가 또 질문을 던졌다. 스르르 감기려던 눈 바르르 눈꺼풀 떨면서 손가락 두개를 여지없이 펴 보이는 것이었다. 두 살 난 녀석은 무슨 일을 하고 있던지 나이만 물으면 손가락을 내민다는 것을 알 수가 있었다. 그 모습이 어찌 보면 앞으로의 모든 일을 승리하며 살 거라는 약속같이 느껴지기도 하였다.

잠에 곯아떨어진 녀석 곁에서 궁금해 하였을 나의 나이를 말해 주기로 하고 스스로에게 물어 봤다.

"외숙모! 몇 살?"

손가락 열개를 네 번 오므렸다 폈다 하고는 두 손의 손가락들을 이용하여 나머지 숫자를 맞추려하다 생각해보니 점잖지 못하고 촐랑 맞은 짓을 자고 있는 아이 옆에서 하고 있

는 것이 아닌가? 녀석이 손가락 두 개를 쭉 내밀고 기다리는
폼은 온음표를 쭉 불러내고 있는 청아하고 아름다운 목소리
였다면 내 모습은 16분 음표를 헐레벌떡거리며 불러 젖히고
숨 끊어질까봐 안달하는 쉰 목소리 같이 추해보였다.

일 년 일 년의 묶음을 누가 만들어 놨단 말인가? 어찌 생각
해 보면 많은 세월을 살아왔다는 것이 아이보다도 못한 허점
투성인 것 같은데 무엇이 자랑할 것이 있어서 수십 갑절의
나이를 말하고 있나? 오히려 내 속에서 동경하고 있는 것은
악한 것 아무리 찾아보려 해도 보이지 않는 순결함 아닌가!
마음에 굳은살 열심히 제거하여 아이와 같은 순수함을 되놀
려 받을 수 있으면 얼마나 좋을까. 머리 속엔 오직 한 생각,
울다가도 자다가도 손가락을 펴 내밀 수 있는 단순함이었다.
순수한 삶이란 단순하게 사는 것이 아닐까 잠자고 있는 아이
옆에서 생각을 해봤다.

아가야 그 순수함으로 일생을 살아서 악을 이기어라. 야들
야들하고 부드러운 손가락을 오랫동안 바라보고 있노라니
그 손을 통하여 이룰 많은 아름답고 순수한 일들이 보이는
듯했다. 먼 훗날 아이의 머리에도 흰머리가 생길 즈음 두 살
의 표로 그리는 V가 아니라 인생을 승리하였다는 의미로 손
가락을 표할 수 있길 기도하였다.

잔치를 빛내는 마음

정성이 깃들어진 상차림이었다. 친구가 벌써 할머니가 되어 손자의 돌상을 차리다니. 다른 도시에 살아서 가끔 통화만 하고 살았는데 손자의 돌이 되었다고 연락을 해왔다. 남편이 종손이며 2대 독자인데 남매를 둔 그들. 그 아들이 또 아들을 낳았으니 4대 종손이 태어났다고 신바람 나서 전화했던 적이 바로 어제 같은데 벌써 돌이라니 어찌 안갈 수가 있겠는가.

친구 집에 당도 했을 때에는 막 돌잔치가 시작되려던 참이었다. 병풍을 둘러친 넓은 거실에서 돌복을 차려입은 주인공이 어리둥절하고 있다가 돌상으로 뒤뚱뒤뚱 걸어가서 연필을 집을 때에 함박웃음을 웃는 아이 엄마. 돈을 집어 드는 것을 보며 '아이, 고놈 참!' 하고 흐뭇해하는 할아버지. 실을 집어 들 때 좋아라 하는 아이의 할머니. 손에 집히는 것마다 입으로 가져가는 것을 보며 손뼉을 치며 웃는 많은 사람들도 씩씩 웃기만 하고 있는 돌쟁이의 앞날을 축복해 주고 있었다.

이윽고 음식 먹을 시간이 되었다. 그런데 음식상 앞에서 많은 사람들은 놀라고 말았다. 손자 안아보는 기쁨에 누구의 손도 빌리지 않고 친구 고부가 직접 장만했다는데 그 양과 종류가 입이 다 벌어질 정도였다. 각종 부침, 편육, 파란 상추를 깔고 무리지어 누어있는 튀긴 조기들, 크고 빨간 꽃처럼 상 가운데를 차지하고 있는 낙지볶음과 홍어회, 뼈를 아예 없애고 그릴에서 구어 낸 갈비, 한국 음식 중의 꽃인 구절판, 그중에서 내 시선을 끄는 것은 쟁반처럼 크고 둥근 접시 위에 차곡차곡 피라미드처럼 쌓여있는 조개 요리였다. 얼마만에 만나보는 요리인가? 미국에 오기 전에는 더러 먹어 보았다. 한쪽 껍질을 깔고 있는 조개 위에다 갖은 양념을 색깔 상하지 않게 살짝 쪄 내놓은 것이다. 조개 구하기도 어렵지만 설사 구한다고 하더라도 보통 손이 가는 음식이 아니다. 손님을 초대할 때마다 엄두를 내지 못했다. 더 정확히 말하자면 머리 속에서 지워져 버린 요리였다. 친구는 어디서 구하였는지 그 많은 조개들을 손질하고 저리 예쁘게 요리를 해 놓았다. 보고만 있어도 옛날에 먹어보던 졸깃졸깃하고 알싸한 그 맛, 조근 조근 씹으면 맛난 맛이 입안에 가득고이는 느낌이 혀끝에 느껴지는 듯하였다. 줄지어서 자신들이 먹을 음식을 담고 있는 하객들 주위에 서있는 나는 눈길을 조개 접시에만 두고 앞사람들이 빨리 빠져 나가기를 기다렸다.

　이윽고 조개 접시 옆으로 가서 체면도 생각지 않고 10여 개를 내 접시 위에 올려놓았다 길게 놓여진 상에 가서 앉자 조용한 분위기의 할머니 한 분이 옆에 앉으셨다. 처음 뵙는 그분과 눈인사를 하고 먹기 시작했다. 당연히 조개로 먼저 손이 갔다. 역시 맛이 있었다. 고향의 그 맛이었나. 연거푸 5-6개를 먹고 옆에 앉으신 할머니의 접시를 바라보았다. 3개의 조개가 담겨져 있었는데 잡수시지 않고 이따금 바라보시곤 했다. 모두들 맛있게 먹느라 바빴다. 조개 요리는 인기 만점 모두들 좋아했다. 앞자리에는 친구 사이인지 열심히 이야기를 하면서 먹고 있는 젊은 여자 세 사람, 조개가 맛이 있다고 연신 말하더니 한 사람이 가서 작은 접시에 수북하니 담아와서 금방 다 먹어 치웠다. 나도 그사이에 내 접시 위의 조개를 다 먹고 말았다. 젊은 여자들은 그것도 부족했던지 한 사람이 다시 가지러 가더니 다 떨어졌다고 빈 접시로 왔다. 더 먹고 싶은 여자들 서운해 하면서 입맛을 다시는데 옆자리의 할머니께서 자신의 접시에 있는 조개를 젊은이들 앞에 내미신다. 그들은 사양도 하지 않고 "고맙습니다" 인사를 하고는 그것까지 먹어 치우는 게 아닌가! 순간 나도 모르게 "할머니는 맛도 보시지 않으셨잖아요" 라고 말씀 드렸더니 대답하시는 말씀이 "나는 옛날 내 고향에서 많이 먹어 보았어요" 하신다. 나는 부끄러워 고개가 숙여졌다. 많이 드셔 보셨다면 맛을 알고 계셨기에 얼마나 더 잡수고 싶겠는가. 담아 오신 조개를 차마 잡수시지 못하고 아까운 듯 바라만 보셨는데. 많이 먹어 보았노라고 다른 이에게 내밀 수가 있다니.

세상에는 어찌 이리 소박하고 아름답게 살아가고 있는 사람들이 많이 있는지! 고개가 절로 숙여진다. 이런 아름다움을 가진 사람들을 보는 일은 기쁜 일이다. 그것이 지혜 있는 어른들이 하시는 일일까? 그날도 그 할머니를 통하여 어른이 하실 수 있는 모습을 본 것이다. 생판 모르는 남에게 소중하게 여기는 것을 내어 줄줄 아는 마음, 가까운 사람에게라도 그런 행동을 할 수 없는 자신의 옹졸함이 부끄럽게 여겨졌다. 나에게 있는 작은 것이라도 나눌 줄을 모른다면 큰 것을 어찌 나누며 살 수 있을까? 나도 이제 나이를 먹었다. 실수나 옹졸함이 젊기 때문이라는 변명을 할 수 있는 나이가 아닌 것이다. 그 할머니의 인품을 닮아 가고 싶다. 시간이 없는 젊은이들 앞에 가서 나의 시간을 내주며 도와줄 수 있었으면 좋겠다. 어떤 것이라도 나누며 살고 싶다. 부족하지만 나보다 더 많이 필요한 사람에게 가진 것 건네주면서 그 할머니처럼 한마디 쉽게 말하고 싶다. "나는 옛날에 많이 써봤다"고.

4대 종손이 첫돌 맞는 날 넉넉하고 풍성하게 손님 접대하는 친구의 손길도 기쁘게 했지만 조용히 식사하시다 자신의 좋은 것 선뜻 양보할 줄 아시는 할머니의 마음 때문에 잔치 자리가 한결 빛나는 것을 느끼고 있었다.

어느 날

Ⅰ.아침

어제를 회개할 수 있는 오늘이 있음을 감사합니다.

오늘을 회개할 수 있는 내일이 있음을 감사합니다.

그러나 더더욱 감사한 것은

오늘을 회개 할 수 있는 내일이 오지 않을 수도 있다는 생각을 이 아침에 가질 수 있게 해 주신 것을 감사합니다.

Ⅱ.낮

몹시도 더운 한낮이었습니다.

휴가를 준비하느라 바쁘게 뒤에서 일을 하고 있는데 "딩~동" 하고 누군가가 들어 왔습니다.

이마의 땀을 닦으며 뛰어나간 내 앞에는 중동인 인지 인디

언인지 머리에 터번을 쓴 가무잡잡한 얼굴 하나가 서 있었습니다. 나를 보자마자 그가 하는 말이 "이마를 보니 복이 있으시겠네요!"

언젠가도 비슷한 일이 있었딘지라 예언을 해준다고 손금을 보자고 할 거라는 걸 미리알고 나는 짐짓 정색을 하며 먼저 입을 열었습니다. "정말로 예언가네요. 그러니 내게 복이 있다는 것을 알았지요?" 라고 대꾸 하는 나에게 짐작대로 미래를 말해 주겠답니다. "나의 미래? 벌써 알고 있어요. 오늘처럼 행복할 거고 하나님께서 나를 자녀 삼아 주신 복과 예수님께서 내 죄를 위하여 십자가 위에서 돌아가신 복 등 아무에게도 빼앗기지 않을 복을 받았거든. 어떻게 하면 나처럼 복있는 사람이 되나 가르쳐줄까요? 그러면 당신의 미래도 틀림없이 행복할 건데."

얼마 전 목사님의 설교 중에 예언의 은사를 사모하라던 말씀이 생각났습니다. 나도 주님이 허락하신다면 언젠가는 할 수 있을 거라는 마음으로 그때를 기다리고 있었습니다. 그런데 놀랍게도 오늘 점쟁이의 미래를 예언할 수 있는 기회를 주셨구나하고 기뻐하면서 이야기를 해주었습니다.

그런데 그 사람 어리둥절한 표정으로 나를 쳐다보더니 도망치듯 나가버렸습니다. 그가 정말 예언가였다면 내가 그리 나올 줄 몰랐을까요? 아쉽게도 점쟁이의 미래를 말해줄 수 있는 기회는 놓쳤지만 그 뒤통수에다가 '예수님 이름으로 쫓겨 가는 점쟁이'라는 이름을 붙여주고 혼자 웃었답니다.

점쟁이가 나간 문으로 시원한 바람 한줄기까지 더운 가게 안으로 확 들어와서 나를 더욱 행복하게 했습니다.

Ⅲ.저녁

날마다 걷던 길옆의 나무였는데 오늘 따라 쳐다 보고 싶었습니다. 큰나무의 실루엣이 화살표가 되어 나의 시선을 잡아 갔던 곳은 하늘이었습니다. 그 옆 키 작고 잔잔한 이파리를 달고 있는 나무에서는 이름모를 새가 지저귀고 있었습니다.

나무가 만든 화살표는 하나님의 지휘봉 같았고 새소리는 그의 음성 같았습니다. 하나님께서 하늘나라에 대한 특강을 하고 게 분명했습니다.

그 강의가 나 한 사람만을 위한 것이라는 사실을 알아내고 뛸 듯이 기뻤습니다. 반갑고 행복한 마음에 바로 앞에 계신 하나님을 팔을 크게 벌려 끌어안아 보았습니다. 공간을 훑고 돌아온 팔은 제 가슴을 싸안고 있었습니다. 지나가는 사람들 눈길에도 아랑곳 않고 한참을 그대로 서있었습니다.

꿈으로 이어지기를 바라는 마음으로 종종 걸음으로 돌아 왔습니다.

신장 결석을 앓고 나서

  20여 년 전 소화제나 감기약도 일 년에 한두 번이 고작이
었던 시절에 단단히 병원신세를 진 적이 있었다. 멀쩡했었는
데, 정말 아무렇지도 않은 날이었는데 평화로운 파란 하늘에
둥실둥실 평화스런 구름을 담고 있었고 집안의 물건들도 어
제와 똑같은 자리에 있는 다른 날과 하나도 다름없는 일상이
진행되고 있었다.

  다른 것이라고는 나만 아프다는 사실이었다. 등뼈를 중심
으로 허리 아랫부분이 뻐근해지더니 허리를 펼 수도 오그릴
수도 없이 아파오는 것이었다. 누어도, 엎드려도, 앉아도, 서
도 어떤 자세를 취해 보아도 아프고 불편한 것이 분만하는
고통과 똑같았다. 아니 분만의 고통보다 더했다. 분만할 때
의 진통은 당연한 것이 아닌가? 그런데 이 고통은 알 수 없
는 고통이었다. 엄마가 되기 위해서 갖는 그 고통은 '하늘이

돈짝 만해져야 한다는 이야기나 쇠로 된 문고리가 말랑말랑
하게 느껴지지 않으면 아직 멀었다'고 했다. 하지만 그 고통
은 아이만 낳으면 씻은 듯이 없어지며 자식을 얻는 엄마들은
누구나 통과해야 하는 관문이라는 것도 알았기에 그러려니
했었다. 우리 엄마도 아홉 명을 낳고 살아계시고 언니도, 나
의 친구 아무개도 멀쩡하게 살아있다는 사실을 생각하면서
목숨을 잃는 일은 극히 드물고 시간을 기다리기만 하면 죽지
는 않을 거라는 확신으로 견뎌냈었다.

그런데 느닷없이 시작된 분만의 통증과 비슷한 진통은 원
인을 알 수 없는 불안까지 합하여져서 곧 죽을 것만 같았다.
발이 얼마나 차가워졌는지 따뜻하게 하는 패드로 발을 감고
차 속에서 몸부림 치며 병원에 도착하기를 기다렸었다. 진단
은 신장결석이었다. 왼쪽 옆구리를 20cm 정도 째는 수술을
해야 했다. 보통 남자들 엄지손가락 매듭만 한 돌멩이가 신
장 안에서 굴렀으니 아팠던 것은 당연했다. 부피로 따지자면
몸의 몇 백분의 일도 안 되는 돌멩이가 생사람을 꼼짝 못하
게 했던 것이다.

신장결석은 몸 안에 들어있었던 잉여 칼슘을 몸 밖으로 내
보내지 못하고 신장에 찌꺼기로 남아 있다가 자꾸만 빠져나
갈 칼슘이 그 위에 쌓이고 쌓여서 돌멩이를 만든다고 한다.

울퉁불퉁한 그것이 신장 안에서 움직이고 요도관을 타고
내려 올 때의 고통은 정말 당해 보지 않은 사람은 이해하기
가 힘들 것이다. 음식 중 칼슘을 조심해야 할 식품의 목록을

받고 보니 대체 먹지 말아야 할 식품을 빼면 뭘 먹고 살아야 하나 하는 염려가 들 정도로 너무 많았다.

아픔을 실감할 수 있는 육은 그래도 치료가 가능하기 때문에 다행스러운 일이지만 만약 내 가슴 속에 흘러버리고 잊어버려야 할 일들을 그러하지 못하고 앙금으로 깔고 있다면 어떤 일이 일어날까? 생각만 해도 끔찍한 일이다.

그 중에서도 사람과 사람 사이에서 잊어버리고 용서해야 할 일들을 용서하지 못하고 쌓아놓고 그것을 증오로 키운다면 나중에는 내 영혼을 아프게 할 수가 있는 무기가 될 것이라는 사실에 놀라고 있었다.

신장에 결석이 생기지 않게 하는 방법으로는 틈만 나면 일삼아 물을 많이 마셔서 신장이 체질적으로 쌓아 났던 칼슘의 결정을 씻어 내보내게 하는 방법과 칼슘이 들어있는 음식을 주의해서 적게 먹는 방법밖에 없다고 한다. 사람과의 관계에서도 되도록이면 좋지 않은 관계를 맺지 말고 늘 편안하고 기쁜 관계를 갖고 살아야겠지만 생활하다보면 어디 그게 말과 생각처럼 쉬운 일이겠는가. 하루에도 몇 번씩 묘한 감정이 왔다 갔다 한다. 혹시 감정에 켕기는 일이 생겼을 지라도 이해와 용서, 선한 마음이라는 많은 물들을 집어넣어줘서 그때그때마다 씻어주어야 한다고 생각하면서도 잘 안 될 때는 자신이 밉다. 그러나 사람과 살아가다 보면 그것을 잘 처리하지 못하면 결국 내 육신의 병이 되고 만다. 손해 보는 일까지도 그럴 수 있는 일이라고 여기지 않으면 그것이 결석으로 남아 있을 것이다. 오늘도 마주했던 사람과의 사이에서 혹 쌓여서 미움 자라게 할만한 나쁜 감정들은 없었을까? 자리에 들기 전에 점검 해보곤 한다.

겨울나무 속의 생명

　겨울 숲 속은 나뭇가지들의 행진이다. 어디에다 눈을 돌려도 추운 계절과 맞서고 있는 회색의 나뭇가지들, 풍성했던 녹음들은 흔적 없고, 붓 자루 끝에 먹물을 묻혀 날렵한 솜씨로 그려 놓은 어느 화가의 작품처럼 솜씨 있게 어우러져 스산한 공간을 멋스럽게 장식하고 있다.

　늦가을 땅에 떨어진 낙엽들을 밟으며 얼마나 안타까워했었던가. 추위를 이기자면 이파리들을 달고 있어야 할 터이다. 그런데 어쩌자고 이파리 하나 남김없이 훌훌 벗어버리고 알몸뚱이로 시리게 서 있단 말인가? 안타까운 마음에 나무 곁으로 다가가 손톱으로 껍질을 살짝 벗겨보았다. 제법 파르스름한 속살이 상큼하게 진한 향을 토해내는 게 아닌가. 생명의 의지력 앞에 다시 엄숙해졌다.

　나도 모르게 어릴 적 들었던 6 · 25때의 어느 여인의 이야기가 겹쳐졌다. 그러니까 행복했던 그 가정에도 전쟁의 기운은 어쩔 수 없었다. 온 시가지는 피난민의 물결이 일렁였지만 그녀는 적막이 도는 집에서 남편과 둘이서 난리를 피하고 있었다. 인민군이 갑자기 마을로 진입하는가 싶더니 어지러운 발자국 소리가 가까워지며 대문을 흔들어대기 시작하였다. 피할 곳도 도망할 길도 없음을 직감한 그녀는 사색이 된 남편 옆에서 놀라운 기지를 발휘했다. 황급히 남편을 벽장 구석에 꼼꼼히 숨긴 그녀 앞에 사냥개의 코와 독수리의 눈동자처럼 날카롭게 번득이며 남편을 내놓으라는 적군들에게 벽장문을 활짝 열어 재끼고 "찾아보세요! 그분이 계신 곳을 나도 안다면 이렇게 답답하지 않겠네요" 라고 되레 큰소리를 치며 답답해하는 표정을 짓자 인민군들은 벽장 안을 들여다볼 생각조차 하지 않고 이내 돌아가버리고 말았다고 했다.

잊혀진 것 같았던 그 이야기가 맨몸으로 바람 앞에 선 가느다란 겨울나뭇가지 앞에서 생각나는 건 무엇 때문일까. 생명을 간직하기 위한 나무의 지혜가 바로 그 여인의 지혜는 아닐까. 의심의 여지를 주지 않으려고 벽장문을 활짝 열어버린 여인의 지혜처럼 나무 역시 그 생명을 보존하려고 이파리를 남김없이 떨쳐내버린 것 같은 생각이 든다. 이처럼 하나를 얻기 위해서는 무엇인가 하나를 버려야 하는 자연의 엄격한 교훈을 인간은 왜 잊어버리는가. 역시 자연은 위대하다는 생각을 다시 하게 된다.

겨울에게 빼앗기지 않은 생명의 싹들을 엷은 껍질 속에 소중하게 보호하고 있다가 해동이 되면 엷어지는 여인내의 옷차림으로 봄 냄새 확인하고, 따사로운 햇살에게 윙크해가며 보드라운 그것들을 조심조심 밖으로 밀어 낼 것이다.

처음엔 강아지 발톱만 한 것이 아기 손가락 그리고 아기 손바닥만큼 점점 자라면서 좋은 그늘과 서늘한 바람을 피워 내는 욕심 없는 자연의 순리. 잎 속에 가려진 가지들끼리 한가롭게 쉬면서 자신들의 몸을 덮쳤던 눈, 얼음이야기를 나누고 봄이 되면 신록의 큰 가족 이루리라.

지혜의 아내, 지혜의 엄마, 지혜의 할머니. 그녀의 이름은 자손 대대 자랑으로 이어졌을 것이다. 평생 남편의 눈은 사랑으로 빛났을 것이고 마음이 폭이 큰 어머니는 무슨 일이든 다 껴안으며 아늑하게 가정을 꾸몄으리라. 신록 속의 나뭇가지처럼 평안한 가정 안에서 자손 줄줄이 앉혀 놓고 적에게 맞섰던 아슬아슬한 이야기를 무용담처럼 들려주었을 것이다.

숨긴다는 것, 보호 한다는 것은 가리고 싸안고, 덮어 안아 주는 것으로만 알았다. 그러나 진정으로 사랑한다는 것은 자신을 버리고 그 무서운 추위를 혼자서 견디게 하는 순리라는 것을 인간들은 너무 외면하면서 살아간다. 자녀들을 일으켜 주고 잡아주고 종래는 불구자가 되게 하는 사람이 얼마나 많은가. 상대에게 의심의 여지를 주지 않는 것은 바로 자연 앞에 내맡겨지는 순리라는 것을 새삼 알았다. 인민군 앞에 내 남편을 잘 봐달라고 사정했다거나 어리석게 남편을 이불 밑에 감추어 뒀다면 어찌 됐겠는가. 인민군의 칼 앞에 당당하게도 남편이 숨겨진 벽장을 열어 버리는 지혜는 겨울 앞에 모든 이파리를 버리는 나무의 단순함과 어쩌면 그리도 같을까.

겨울 같은 세상, 전쟁 같은 계절을 살아가고 있는 나에게 숨겨 논 생명 내놓으라며 밀려오는 과제들이 너무도 많다. 돈의 대문(大門), 자존심의 대문, 체면의 대문들을 공산당이 되어 겨울바람이 되어 영혼을 노리며 마구 흔들어 대고 있다.

많은 것 움켜지고, 꼭 싸안고 튼튼하게 포장하여 가리고 싶은 욕망들. 그러나 이제 겨울 나뭇가지의 지혜 배웠으니 주님의 생명만을 간직해야겠다. 나 자신을 비우고 버리고 주님의 얼굴 행복하게 뵐 수 있을 그날을 소중하게 간직하고 싶다.

성급한 생각에 아까워 버리지 못하는 잡동사니 산처럼 버티고 있는 마음속을 숨겨진 생명 하나 없나 양심의 손으로 오래오래 더듬어 본다. 싸늘한 바람 윙윙거리는 회색의 하늘 아래서 아무 것도 잡히지 않는 양심의 손, 부끄러워 고개를 숙인다. 십계명을 잘 지켰다고 스스로 생각하며 예수님 따르려 했는데 갖고 있는 소유 다 팔아 가난한 자에게 주라시는 명령에 가진 것 아까워 근심하며 예수님 곁 떠나간 부자 청년만을 닮은 것 같은 내 영혼이 자꾸만 슬퍼지는 것은 겨울나무 때문인지도 모른다.

5부
잠이 오지 않는 이유

주책바가지

반상회에서

슬퍼하는 아들에게

잠이 오지 않는 이유

별 속에 숨은 사람

전화요금 고지서

독백

오도방정 떠네

문화의 차이

복 있는 사람은 악인의 꾀를 쫓지 아니하며
죄인의 길에 서지 아니하며 오만한 자의 자리
에 앉지 아니하고(시편 1:1)

주책바가지

주책바가지! 나하고는 거리가 먼 단어리고 적어도 이제까지는 그렇게 생각했었다. 상대방의 의견과 입장을 생각하고 내 자신의 말과 행동을 절제하면서 살아간다고 생각했었다.

주책과 실수 중에서 하나를 택하라면 나는 서슴지 않고 언제든지 실수를 택할 것이다. 실수는 깨닫는 순간, 사과를 하면 행동의 잘못이 되돌려질 수도 있다. 게다가 인격이나 교양에는 흠을 내는 일이 없다. 그러나 주책은 그것과는 너무 다르다. 정말로 보아줄 수가 없는 흉한 행동이 바로 주책이다. 그것은 푼수들이나 아니면 생각 없는 사람들이 하는 유치한 행동이다. 사람들을 당황하게 만들기도 하며 입을 삐쭉거리게도 한다. 게다가 그 인격마저 곤두박질치는 부끄러움을 낳는다.

그런 주책을 오늘 스스로 인정하는 사건이 거듭 저질러지게 되었으니 그 무슨 꼴인가 싶어 며칠 밤잠을 이루지 못할 것이다. 지금까지 여러 사람들이 주책 맞은 사람으로 인정하고 있는 것을 본인인 나만이 모르고 잘난척하는 여자로 살아왔으니 얼굴을 들 수 없는 것이다. 아니, 부끄럽고 창피해서 등에서 식은땀까지 다 솟는다.

공교롭게도 그 사건은 하루 내에 연달아 일어났다.

모처럼 남편과 식당에 갔다. 맛좋고 서비스 좋기로 소문난 식당인지라 아직 저녁이 이른 시간인데도 홀 안은 손님으로 가득했다. 겨우 자리를 잡고 앉아 음식 나오기를 기다리는데 출입문이 열리면서 평소에 친분 있는 사람이 들어와 홀 안을 기웃거렸다. 반가운 마음에 손짓을 하며 아는 체 했지만 상대는 이쪽을 알아보지 못했는지 다른 테이블 사람하고만 인사를 나누고 그대로 서 있다가 다시 두리번거렸다. 좁은 통로라서 그곳까지 나갈 수도 없고 아는 사람 그냥 지나치지 못하는 오지랖 넓은 성품 탓으로 앉았다 섰다를 반복하다가 고개를 내빼고 상체를 흔드는 등 할 수 있는 동작을 다 동원하여 우렁이를 쓴 뱀처럼 요동을 쳤다. 가만히 보고 있던 남편이 기어코 입을 열었다.

"고만해, 모른 체하려는 사람 무안하겠다. 별로 늙지도 않았으면서 주책은…"

순간 난 얼굴이 빨갛게 되어 버렸다.

이윽고 식사가 나왔다.

아직도 어색해 고개를 들지 못하고 음식에만 눈길을 주고 있는데 식당에서 일하던 남자가 우리 테이블로 와서 정중하게 인사를 했다. 다른 직업을 갖고 있는 그는 오늘 주방에서 아르바이트로 도와주고 있다고 했다. 우리 집 양반과 막역지간인지라 엄살기가 있는 목소리로 하소연 했다. 몇 시간 동안 야채를 썰었더니 팔이 아프다고 했다. 채 써는 솜씨가 이 식당 안에서 자기가 제일이라며 팔을 오므렸다 폈다 하면서 아픈 시늉을 했다. 순간 안쓰러운 마음이 발동해서 나도 모르게 나보다 서너 살밖에 어리지 않는 그 남자의 팔을 주물러 주었다. 한참을 주물러 주고 있는 나를 말갛게 바라보던 남편이 장난기 가득한 얼굴로 한마디 했다.

"오늘 이 사람 웬일이야. 이젠 남의 남자 팔뚝까지 남편 앞에서 주물러 대고 있으니 이거 주책 아탄 아닌가?"

밥맛도 제대로 느끼지 못하고 저녁을 마쳤다. 돌아오는 길에는 할 말이 없었다. 집으로 돌아와 씻고 잠시 소파에 앉아 자신의 한심한 모습을 돌아보며 비관하고 있을 무렵 현관 벨이 울렸다. 머칠 후면 대학을 졸업 할 조카가 상큼한 미소로 서 있질 않는가. 방금까지 심란한 마음은 그 아이를 보는 순간 싹 없어졌다. 붙임성 있고 다정한 성격인 조카는 언제나 나를 즐겁게 해주었다. 어려운 공부 끝내고 졸업하는 벅찬 감격을 맞장구 쳐가며 들어 주는데 자기 학교 마크가 그려져 있는 컵 하나를 내놓으면서 외숙과 외숙모를 위하여 사왔다며 너스레를 떨었다. 컵을 받아들었다. 그러나 둘이 쓰라면서 왜 컵은 하나만 사왔을까 속으로 의아해 했다. 그러다 조카가 들고 왔던 작은 종이 가방 속에 들어 있는 똑같은 컵을 보는 순간 무심결에 그것도 우리를 주려는 것인데 미처 꺼내지 못한 것으로 짐작되어 내가 손수 꺼내어 부엌으로 가져갔다. 잠시 후 돌아가려던 아이가 종이 봉지를 보더니 컵을 찾았다. 돈 없는 학생이라 한 집에 한 개씩만 사왔던 모양이었다.

모든 사태를 알고 있었던 남편은 "너희 외숙보가"하며 컵을 다시 주방에서 가지고 나왔다.

세 번의 결정적인 실수를 하고 나니 부끄럽다 못해 머릿속이 윙윙 거렸다. 도저히 혼자 감당하기 어려워 좀 늦은 시간이긴 했지만 친구한테 하소연 하면서 위로를 받고 싶었다. 그래서 가까운 친구에게 전화를 걸었다. 전화통을 붙들고 이런저런 이야기로 마음속을 풀어냈다. 열심히 이야기를 한 탓인지 속이 좀 시원한 것 같았다. 한참을 들어 주던 그 친구의 말 "편하게 생각해. 원래 둥실둥실 자연스럽게 살아가는 네가 오늘 왜 그리 신경을 써? 아무것도 아닌, 너의 자연스런 모습이라니까."

'아니, 그렇다면 나는 지금까지 이런 주책으로 살아왔단 말인가. 주책을 자연스럽게 몸에 담고 살아왔으면서도 주책과는 먼 것처럼 생각해 왔으니 이 얼마나 주책바가지란 말인가? 요런, 주책바가지 같은 이라고.'

반상회에서

매년 8월 첫 번째 화요일 저녁 7시에는 반상회(national night out)가 열린다. 범국가적인 밤이라고 할까. 큰 도시에서 살 때는 모르고 살았었다. 그런데 17년 전 이 동네로 이사왔을 때부터 반상회를 갖는다. 골목별로 20여 가구씩 한 단위가 되어 음식들을 한 접시씩 들고 와서 저녁을 같이 하며 친교도 하고 방범(防犯) 교육도 받으며 시간을 함께 한다.

미국에서도 이런 취지아래 동네 사람들이 모인다는 것이 처음에는 어리둥절하기도 하였다. 반상회가 열리는 집은 골목에서 유일하게 앞뜰을 잔디밭 대신에 작은 꽃밭을 앙증맞게 만들고는 중앙부분은 모두 콘크리트를 덧칠해 놓은 노부부의 집이었다. 벌써부터 그 집 마당과 지붕에는 색색의 풍선을 매달고 테이블 위는 분홍색 식탁보를 깔고 군데군데 꽃까지 장식해 놓고, 골목 한쪽 찻길은 아예 막아버리고 아이들을 위한 놀이터로 쓴다는 광고판까지 가져다 났었다. 그동안 맨송맨송 하던 내 마음도 흥분되기 시작하였다. 이사 온지 얼마 되지 않은 탓으로 동네 사람들을 익힐 기회를 갖지 못했는데 그 날은 한꺼번에 만날 수 있는 자리였기 때문이었다.

나는 대충 화장을 하고 전날 만들어 두었던 만두를 튀겨 예쁜 접시에 파슬리와 홍당무로 장식하여 담고 소풍가는 아이마냥 들뜬 마음으로 발길을 옮겼다. 20여 가구가 한 반이었는데 사정상 참석치 못한 가구를 제외하고는 15가구가 모였다. 우리 모임은 적극성 있는 주선자 헬렌이 있어서 이 골목에서는 제일 붐비는 모임이었다. 각기 자기들 손으로 쓴 이름표를 가슴에 붙이고 저녁이 시작되었다. 평소에 동네길 산책을 자주 하시는 우리 어머니에게 인사를 건네며 서로들 말을 걸어 왔다. 소개시간에는 우리 가족이 먼저 소개되었다. 처음으로 참석하였기 때문에 배려한 것이다. 이어서 돌아가면서 스스로를 소개하는 시간이었다. 그 가운데 아이들이 나간 채 부부만 사는 가족이 다섯 쌍이었고, 나머지는 고만 고만한 아이들이 있는 가정이었다. 모두들 우리가 이 골목으로 온 것을 환영해 주었다. 아이들은 금방 서로 친해져서 공 던지기며 자전거 타기 등 어울려 놀기에 바빴다. 화제는 자연스레 자신들의 손에 들려 있는 음식으로 돌려지기 시작하였다. 그리곤 샌드위치니 스파게티, 샐러드, 닭구이, 달걀요리 등의 서양 음식 속에서 앙증맞고 예쁜 접시에서 담겨진 만두 맛을 칭찬하기 시작했다. 하긴 어디서나 내 만두(교자) 솜씨를 칭찬하는 편이다. 급기야는 여자들이 우르르 내 쪽으로 몰려와 '만두 속은 무엇을 넣었나? 맛있게 만드는 비법을 가르쳐 달라.'며 모두들 한 마디씩 거들었다.

제일로 인물이 빠진 동양여자인 내가 만두 덕분에 사람들의 관심을 끌어오고 말았다. 그렇게 옹기종기 모여 수다를 떨고 있는데 이 지역의 교육을 맡고 있다는 경찰 한분이 T-shirt 차림에 불량기가 있는 몸짓을 일부러 하는 듯한 사람을 데리고 왔다.

수인사를 한 다음 방범교육이 시작되었다. 언제 없어졌는지 불량한 몸짓을 한 사람은 우리의 관심도 얻지 못하고 슬그머니 사라졌다. 한참을 자신들의 치안정책과 주민들의 협조 등에 대하여 강의를 끝내고 나누어 주는 종이에는 조금 전 사라진 사람의 인상에 대한 콘테스트가 있다고 했다. 여기저기에서 좀더 자세히 봐둘 걸 하는 후회의 한숨이 나왔다. 조별로 어느 모임이 가장 정확하게 인상을 알고 있는 가에 대한 질문이었다. 나는 무심히 보았기 때문에 안경을 낀 것 같기도 안 낀 것 같기도 했다. 게다가 인상이 삼십대인가 이십대인가 하는 혼미한 생각으로 끙끙대고 있었다. 이 때, 하얀 머리에 예쁜 리본을 맨 주인 집 강아지 한 마리만이 꼬리를 살래살래 흔들며 사람들 사이를 왔다 갔다 하고 있었다. 교육이 끝난 다음 남자들은 마을 어귀에 주차되어 있는 앰뷸런스 구경을 가고 여자들은 주섬주섬 그릇을 챙기며 내

년을 기약했다. 그 일이 있은 후 동네 사람들은 한층 가까워졌다. 우리 아이들의 고모가 어머니와 아이들을 데리고 나가면 퇴근하는 우리 부부에게 이러이러한 차가 식구들을 태우고 갔다는 등 관심을 보여주곤 하였다. 그리고 해를 더해 감에 따라 마을 사람들끼리 친밀감도 더해 갔다. 반상회로 모이는 날이면 아이들 크는 이야기, 이사 간 사람들의 이야기, 마을에서 일어난 소식들로 화제가 만발하였다. 날이 갈수록 처음 반상회를 할 때 보이던 얼굴보다 바꿔진 사람들이 더 많아졌다. 이야기의 주제도 많이 달라졌다. 건강이 항상 나빠서 부인에게 갖은 어리광을 부리던 탐은 그의 아내를 앞세웠다. 자신보다 더 건강하여 자기를 간호하던 부인을 먼저 하늘나라에 보내고 쓸쓸하게 산책길에 오르는 것을 보면 누군가 친구가 되어 주었으면 싶었다. 그런데 그 옆집 친절한 마음을 가진 레리아저씨가 항상 팔을 붙들고 걸어가는 모습은 포근해 보였다. 얌전하던 고등학교 교사 린은 건축업자 남편과 헤어져서 다시는 그 모습을 볼 수가 없었고 그 자리에 젊고 발랄한 수가 대신하고 있었다. 화가였던 샤론과 그의 의사 남편은 더 이상 정원관리가 힘들다고 콘도로 이사를 가고 그 집에 시계가게를 한다는 점잖게 생긴 탐이 예쁜 딸 에쉴리와 머리가 짧은 부인과 함께 왔다. 트럭 운전사 죠네도 이사를 가고 그 집으로 소아과 의사내외가 두 아들들을 데리고 새로 이사를 들었다. 평생을 비행기 스튜어디스를 하느라 결혼도 하지 못한 에버린 할머니는 삼 년 전에 애써서 만든 일본식 정원을 파헤치고 이번에는 아프리카 풍의 정원을 꾸민 것을 보며 부럽게들 이야기 했다. 기독교서점을 하는 빌이 갑자기 발견된 암 때문에 충격을 받았으나 치료 받고 지금은 건강하게 사업을 하고 있는 이야기이며 세발자전거를 타고 놀던 데릭이 장가 들었고 아직도 소녀처럼 발랄한 그의 엄마 팸은 할머니가 되었다고 손녀 사진을 들고 다니며 자랑하고 다녔다. 처음 보는 자기에게 빠진 이를 보이던 우리 아들을 아직도 기억하는 앞집 남자 피터는 대학 졸업반인 아들의 근황을 물어 왔고 그도 이제는 백발성성한 할아버지가 되어가고 있었다.

15년 동안 우리 골목에 살면서 한번도 반상회에 참석하지 않았던 우리 옆집 스티브네가 집을 팔기 위해 팻말을 붙여 놓았다. 그것을 본 그 앞집 남자 쌤이 시끄러운 개소리를 드디어 안 듣게 되었다고 좋아하고 있었다. 서로 뜻이 안 맞아 티격태격 하는 것을 몇 번 본 적이 있었다. 돌아보면 악의 없고 선량한 정다운 얼굴들이다.

그리고 보면 사람은 어디서나 자리를 잡고 살아갈 수 있는 거라는 생각이 머리를 스쳤다. 그 순간 가슴에 아릿하게 떠오르는 풍경 하나. 매캐한 모깃불 연기가 있고, 방문을 열기 전에 문에 붙은 모기를 날려 보내느라 모기장이 발라진 문 앞에서 부채로 춤추듯 모기를 쫓던 언니의 모습이 떠올랐고, 네모반듯한 평상 위에 누어있는 우리에게 부채질하여 주시던 어머니의 손길과 구수한 전라도 사투리로 들려주시던 할머니 이야기가 떠올랐다.

　저녁이면 까만 하늘에 촘촘히 박혀진 별 속에서 떨어지던 별똥을 찾느라 바빴던 유년시절 고향의 추억이 떠올라 괜히 눈물이 솟았다. 우리들의 모습이 마음속의 여름밤이 생각이 나서 도란도란 이야기 그칠 줄 모르는 그곳을 인사도 생략한 채 살금살금 빠져 나외 무작정 걷다가 집으로 돌아왔다.

슬퍼하는 아들에게

　알아볼 수 있게 수척해진 아이의 얼굴.

　두 주 동안 얼마나 슬픈 마음을 가졌었던가를 알 수 있었다. 이럴 때 무슨 말로 위로해 주어야할까. 싸한 아픔만이 밀려왔다. 오히려 아이는 내게 다가와 가볍게 안으며 '엄마 보고 싶었어요.'하며 토닥거린다. 그래 얼마나 슬프고 허전할까? 한 친구를 먼저 하나님 나라에 보낸 그 마음이.

　고등학교 졸업 후 대학 입학까지 약 3개월 동안을 한 몸 같이 붙어 다녔던 아이들을 생각해 봤다. 주 중에는 흩어져서 아르바이트로 시간을 보내고 주말이면 몰려와 팝콘을 먹으며 영화도 보고 게임도 하며 밤을 지새우기 일쑤였었다. 새벽녘에 물이라도 마시려 부엌에 가느라 거실을 지나칠 때 보면 네 개의 슬리핑 백 속에서 한 사람씩 드러누워 계집아이들처럼 도란도란 이야기하는 소리를 들을 때가 있었다. 함께 하였던 고등학창 시절의 이야기, 흩어져야 하는 서운함, 새로 시작하는 대학생활, 꿈과 야망과 두려움을 갖고 그려보는 미래의 이야기들이 끊임없이 거실을 메우고 있었다.

사실 청소년 문제는 어쩌고, 음란 사이트 문제는 어쩌고, 그렇게 떠들어대도 아들이 친구들과 함께 놀고 있으면 발을 뻗고 편이 잠들 수가 있다. 다른 엄마들도 아들들의 근황을 알고 싶으면 어느 시간이든 관계치 않고 전화로 확인할 수 있었기에 더욱 안심할 수가 있었다.

인종도 문화도 뛰어넘은 모임이었기에 더욱 보기가 좋았다. 4명이 모인 곳에 동양인, 백인, 흑인, 멕시코인이 모여 있다는 말은 들어 본적이 없었으니까.

할머니께서도 아이의 친구들이 전화를 해올 때나 집에 올 때 "안녕하세요"라든가 "감사 합니다"라고 서툰 한국말로 해주는 그들의 인사를 무척이나 좋아하셨다. 그런 친구들이 대학진학에 따라 헤어졌는데 세 명은 자주 만날 수 있는 가까운 곳으로 가고 그 아이만 멀리 갔었다. 우리 아이가 그렇게 가고 싶어 하던 학교였다. 자기는 갈 수가 없었지만 그 아이가 4년 장학금을 받고 가게 되었다고 좋아하던 모습이 아직도 눈에 생생하다. 추수감사절에도 성탄절 때도 집에 오기가 바쁘게 모여 시간가는 줄 모르게 놀며 기뻐하였었다.

헤어진 지 얼마 되지 않은 2월 어느 주말 비보가 날아들었다. 아들이 사실을 믿기 어려워 급하게 그 아이의 집으로 뛰어갔다는 소식을 듣고 곧 뒤따라간 나는 꿈같은 사실 앞에 생각도 멈추고 말은 물론 눈물조차 잃어버린 채 떨고 있는 아이들을 봐야만 했었다. 그때도 위로해줄만한 적절한 말을 찾지 못하고 눈물만 흘렸었다. 어찌 온 세상에 퍼져 있는 셀 수 없이 많은 종류의 말들 중에서 그 순간을 위한 한 마디의 말이 그렇게도 없더란 말인가?

일주일 후 엄숙한 장례식장에서 정장을 차려 입은 아이들은 떨리지도 않는 의젓한 목소리로 "하나님의 시간에 데려가셨으니 슬픔보다는 기쁨으로 보내야 합니다. 그는 갔지만 우리는 아직도 넷입니다. 우리의 마음속에 그가 있으니까요." 라며 슬픔을 토해냈다. 그러나 단상을 내려오는 아이들을 그 아이의 아버지가 한 사람씩 끌어안을 때는 눈 가득 고인 눈물들을 훔쳐내고 있었다. 단상 아래 마련된 꽃으로 쌓여진 관 속에서 잠자는 것 같이 누어있는 그 아이는 영원히 가는 것이 아니고 새벽 자명종 소리에 일어나 학교 갈 차비를 할 것 같이 평온한 모습이었다. 장례 예배 중 간간이 울려 피지던 차임벨 소리는 어찌 그리 맑고 깨끗한지 금세 하나님이 나타나 영을 거두시는 것만 같았다. 흩어졌다가는 모아지고 모아졌다가는 다시 흩어지는 그 소리는 바람처럼 흩날리기도 하고 눈송이처럼 하늘거리다가 쌓여질 것 같은 엄숙함이 있었다. 때로는 수정 방울들이 가슴을 후려치는 것처럼 아름다웠고 때로는 여울진 계곡의 수문처럼 애닯기에 더욱 슬프고도 아팠다. 어쩌면 그 아이가 먼 길을 가는 도중 별나라의 징검다리를 건너 갈 때 밟힐 별 하나 하나에서 쏟아져 나올 듯한 소리가 아니던가?

이제 이 세상 어디에도 그는 있지 않다. 아직 싱싱한 푸름으로만 살아야 할 열여덟 살짜리 친구들의 손으로 슬프게도 그의 관을 들어다가 묻었다. 다정했던 사람들과 많은 기쁨, 슬픔들을 주고받았을 그. 하나님 나라에서 하나님과 기쁨만을 주고받으면서 살고 있겠지. 우리들도 언젠가는 가야할 그곳에서.

헤어진 슬픔이 얼마나 클까? 하지만 그 아이가 하늘나라에서 받아낸 외출의 기간이 끝났기에 돌아간 것일 게다. 핼쑥해진 아들을 앞에 앉혀 놓고 나도 어느 영화 속의 죽어가는 어머니가 하던 말처럼 '죽음은 삶의 한 부분이란다.'라고 의연하게 말할 수 있었으면 얼마나 좋을까. 그러나 차마 그 말을 꺼내지도 못하고 나직하게 소리 죽어가며 감히 되뇌어 본다.

이젠 그가 못다 이룬 것들까지 함께 이루어 주어야 할 것이다. 이 세상에서 네 사람이 했어야 할 큰일들을 셋이 나누어 한다면 그의 몫도 충분히 이룬 셈일 거다.

그래 아들아, 한번 크게 숨을 들이쉬고 현실을 받아들이거라. 힘들겠지만 그 목표들을 위해서 열심히 뛰어 보거라. 그러면 너희가 했던 말 '우리는 넷입니다'가 틀리지 않을 것이다.

잠이 오지 않은 이유

잠을 이룰 수가 없었다.

숫자를 헤아려보고, 음악을 틀어놓아도 잠은 끄떡도 하지 않았다. 거센 폭풍처럼 찾아들던 잠이 도대체 어디로 도망갔단 말인가.

내가 잠을 잘 자는 데는 육체노동을 하는 탓도 있겠지민 낙천적인 성격이다보니 웬만한 일로는 잠을 설치게 두질 않는다. 불안하고 답답한 일이 있을지라도 언제나 저녁이면 어김없이 곯아떨어지곤 한다. 설령, 원하는 방향으로 안 된다고 할지라도 밤늦게까지 고민하지 않는다. 세상사 모든 것은 인간의 뜻대로 살아가는 것이 아니라 하나님이 이끄시는 대로 살아가면 되는 것이기에 최선을 다하되 그 결과는 언제나 하나님의 몫으로 남겨둔다. 그래서 고민이 내 옆에서 머무를 틈이 없다.

그런데 오늘 밤만은 잠을 이룰 수가 없었다. 시계를 보니 새벽 2시다. 그런데도 몸을 뒤척이고 있었다.

잠자리에 든 순간부터 뭔가 허전하고 서운했다. 꼭 미적지근한 느낌이 머리를 감지 않고 외출 준비를 하는 것만큼이나 꺼림칙하기까지 했다. 머리를 베개에 붙이자마자 드르렁거리는 남편의 콧소리에 신경질까지 날 정도였다. 잠이 오지 않는 이유를 살펴보기 위해 오늘 하루를 되돌아보았다.

토요일 새벽기도로 시작된 강행군, 기도 후에 걷기 운동 그리고 손님을 기쁘게 맞는 등 모든 일이 순조로운 하루였다. 말과 행동들을 또다시 점검해 보았으나 특별하게 신경쓸 만한 일들이 생각나지 않았다. 그리고 저녁이 얼마나 멋졌었던가. 모처럼 받은 초대는 어떤 기관장 되는 멋쟁이 부부가 우리 부부를 초대했던 아름다운 밤이었다. 항상 세탁소 손님으로 오면서도 우리 부부의 자존감을 높여주고 친구처럼 대해주는 그런 분이었다. 그것이 항상 고마웠다. 그래서 지난번 근처에서 제일가는 한식집에서 모셨다. 그 답례로 오늘 저녁 우리 부부를 초대하여 대접한 것이었다.

한국음식, 5천년 역사와 함께 갈고 닦아진 그 품위가 어느 나라 음식에 뒤질까. 게다가 풍성함은 더 말할 나위 없었다. 식탁 위를 가득 채우는 올망졸망한 반찬의 가짓수! 그렇게 많은 종류의 음식을 한꺼번에 차려 내올 수 있는 음식 문화를 가진 나라가 우리나라 말고 또 어디 있을까. 생전 처음 대하여 보는 그들부부는 흥미와 함께 맛있게 먹었다.

거기에 대한 답례로 넓은 홀을 화려하게 장식한 식당으로 우리 부부를 불러냈다. 출입문 맞은편 구석에선 검은색 피아노 앞에 역시 검은색 턱시도를 차려입은 피아니스트가 연주하고 있는 바하의 미뉴에트가 조심조심 홀 안을 흘러다니고 있는 아늑한 분위기였다. 한쪽 껍질을 깔고 나왔던 애피타이저 굴은 음식이라기보다는 큰 접시 위에 펼쳐진 예술품 같았다. 아름다운 그것을 간장에 참기름을 섞은 듯한 소스에 찍어 먹으니 바닷가에 서서 먹는 것 같은 착각을 갖게 했다. 바구니 속의 막 쪄 나온 따뜻한 빵은 식탁을 풍성하게 했으며, 컵의 둥근 형태를 따라 색깔을 내고 있었던 와인의 빛깔은 흰 식탁보 위에서 그 자태를 마음껏 뽐내고 있었다.

피어난 꽃잎처럼 열십자로 등을 가르고 하얀 속살을 드러냈던 구운 감자, 버터를 살짝 넣어 숟가락으로 버무린 다음 먹을 때 느껴지는 고소하고 포슬포슬한 맛도 일품이었다. 탐스러운 분홍빛 속살을 모두 등 밖으로 밀어내고, 들러리마냥 붉은 두 개의 다리를 다소곳이 오므리고 나왔던 가재 요리의 감칠맛은 먹어 버리기가 아까울 정도였다.

식탁과 어울리는 정다운 대화들, 그리고 중학교 교장으로 재직한다는 기관장 부인의 예쁜 금발과 우아한 매너는 식당 분위기와 잘 조화를 이루어 우리 부부를 부럽게 만들었다. 식사 후 시가지를 드라이브한 다음 전망대에서 야경까지 구경하였다. 우리 부부와 그들 부부의 데이트로 다른 날과 달리 특별한 하루를 보냈으니 잠이 오질 않을 이유가 없다. 아무리 생각해도 잠 못 이룰 이유를 발견해낼 수가 없었다.

뜬눈으로 밤을 새울 예감에 아예 거실로 나갔다. 책이나 볼 심산이었다. 거실의 불을 켜는 순간 뒤뜰의 강아지가 꼬리를 치고 문 쪽으로 달려 나왔다. 아마도 내내 잠 못 이루고 있는 것을 눈치 채고 있었던것 같았다. 책 한 권을 들고 소파에 쭈그리고 앉아 뒤척거렸으나 역시 허전한 느낌은 지워지질 않았다. 그러니 글자가 눈에 들어올 리 없었다. 점잖고 우아한 분위기가 불편을 주었을까. 갑자기 갈증이 났다. 물을 마시려고 부엌을 향하여 가는 순간 머리 속에서 '아! 그것'이라는 탄성이 나왔다. 허둥지둥 발을 헛디디지 않았던 게 다행일 정도로 머리에 스치는 게 있었다. 정신없이 냉장고 앞까지 뛰어가 문을 열고 곰삭은 곤쟁이젓으로 담근 김치 병을 끌어안을 듯이 꺼냈다. 그리곤 그 속에서 아직도 풋내 솔솔 풍기는 김치 한 포기를 꺼내어 잎사귀 부분만 싹둑 자른 다음 크고 너른 것을 골라 접시에 얹었다. 그리곤 밥통 속의 밥을 꺼내 덥석 싼 다음 입안에 밀어 넣었다. 머리 속이 온통 깨끗해졌다. 혀끝에서 느껴지는 시원하고도 까슬까슬한 그 맛! 아릿하고 질깃질깃한 배추 씹히는 그 맛을 무엇하고 바꾸리. 짭조름하면서도 온 입안에 퍼지는 김치 특유의 맛과 그 속에서 또렷또렷하며 고소하게 느껴지는 밥의 맛을 빼먹었으니 잠이 안 올 수밖에!

천천히 맛을 음미하며 두서너 번 먹고 있는데 자던 남편이 부엌으로 들어선다. "아니 이 사람 저녁밥을 그렇게 맛있게 먹고도 뭘 하는 거야! 지금이 몇 신줄 알기나 해. 두 시야 두 시!" 한심하다는 듯 남편은 내게 시비를 걸어왔다.

"내가 언제 밥 먹었수! 빵하고 가재였지." 몇 숟갈까지 시비에 말려들어 맛을 빼앗기지 않으려고 고개를 남편 반대쪽으로 돌리고 앉았다. 천천히 김치와 밥의 맛을 즐기고 있는 나의 귀에 다시 한번 들려오는 남편의 고함소리

"아니 이사람 해도 너무하네 그려! 나도 한 숟갈 안 줄 거야!"

별 속에 숨은 사람

　당뇨병 잡지가 오늘로 세 번째 배달되었다. 김 여사는 도 저히 궁금해서 견딜 수가 없었다. 과연 누가 보내주었을까.

　저녁상을 물린 김 여사는 노트와 펜을 들고 식탁에 앉아 잡지를 보내줄 만한 이름을 하나하나 적어가기 시작했다. 그 러나 감이 잡히지 않았다.

　'누굴까?'

　그러니까 일 년 전 갑자기 10여일 만에 몸무게가 5kg 정도 나 줄어들었다. 게다가 밤이면 밤마다 여러 번의 소변과 심 한 갈증으로 밤을 지새우다시피 하느라 잠을 이루지 못했다. 그래서 병원을 찾았다. 그런데 이게 웬일인가. 식전의 혈당 은 289였고, 식후의 혈당은 328이나 되었다. 김 여사는 그 만 심장이 멎는 듯 너무 놀라지 않을 수 없었다. 아니, 하늘 이 무너지는 것 같았다. 늘 건강 하나는 자신 있다고 믿었던 김 여사였다. 그런데 당뇨병이라니? 너무 억울하고 분했다. 그래서 울기도 해보고 애꿎은 남편을 닦달해 보기도 하면서 절망에 빠져있었다.

주위에서는 '누구나 가질 수 있는 병이라면서 위로를 해주는가 하면 치료할 수 있는 여러 가지 방법을 알려주기도 하였다. 이러한 주위의 관심과 사랑에도 안정되지 않았다. 그만큼 충격이 컸던 것이다.

그런 김 여사에게 어느 날 잡지책 한 권이 배달된 것이다. 당뇨 전문 잡지였다. 당뇨병이 완치된 환자의 체험도 게재되어 있었다. 김 여사는 여러 가지 치료법을 읽으면서 서서히 안정되기 시작하였다. 그리하여 속에서 오기 같은 결심이 굳어가기 시작하였다.

지금까지 알고 있는 지식보다는 더 정확하고 세밀한 정보들이 가득 차 있었다. 이달의 채소는 무엇이며 그 속에는 칼로리가 얼마나 들어있고부터 시작하여 요리법, 운동법, 합병증 예방법, 여행시의 어드바이스, 새로운 의학 정보 등 다양한 정보들이 가득하였다. 더욱이 시간이 점점 흐르면서 절제하던 기름진 음식 쪽으로 젓가락이 자꾸 옮겨지기도 하고, 하던 운동도 시간 없다는 핑계를 대기 일쑤였는데 배달되는 잡지 덕분에 당뇨병 환자임을 환기시켜줘서 마음 상태를 다시 곧추 잡아주는 데 큰 기여를 했다.

"내가 이 병을 기필코 이기리라. 그리고 이것 때문에 고생하는 모든 사람들에게 도움과 용기를 주리라" 라는 오기 같은 것이 생기면서 이를 악물었다.

먹는 일이라면 천국이라 할 정도로 먹는 기쁨을 누리던 김 여사였다. 그런 그가 먹는 일을 조심한다는 것은 쉽지 않는 일이었다. 그러나 김 여사는 우선 먹는 일부터 주의하였다. 옆에서 지켜보던 친구가 "누리던 기쁨과 재미가 삭감 되었겠네"하고 농담을 걸어 왔다. 그녀는 눈만 한 번 흘길 뿐 교과서대로 먹고 마시는 일을 엄격히 통제하였다. 언제나 담백하고, 섬유질 많은 그런 음식만 골라 하루에 1,800 칼로리를 넘지 않게, 그것도 하루 다섯 차례 나누어 먹었다. 그것만이 아니었다. 시간을 쪼개어 아침저녁으로 빨리 걷기를 하는 등 부족한 운동을 보충하였다.

처음 잡지를 받았을 때는 대수롭지 않게 생각하였다. 시간이 지나면 누군가가 보내주었다는 주인공이 나타나리라 생각했기 때문이다. 그러나 한 달이 지나고 석 달을 지나도 보내주는 사람이 나타나질 않았다. 그러니 김 여사로서는 안달이 날 수밖에 없었다.

김 여사는 손수 보내줄 만한 사람을 찾아보기로 작정하였다. 먼저 연필과 종이를 놓고 기억나는 이름을 하나하나 적어가기 시작하였다. 우선 남편과 아이들을 떠올려 보았다. 그러나 구독료 낸 수표를 발견할 수가 없지 않은가. 그렇다고 신용카드 회사에서 잡지사로 지불한 흔적도 없었으니 가족은 아니라는 생각이 들었다. 그러면 누구란 말인가? 혹시 시누이들? 여섯 명의 명단을 다시 적어 보았다. 그러나 감이 잡히지 않았다. 오빠, 언니, 동생, 조카 이름을 차례로 적었다. 그들에게서 그런 눈치를 발견할 수가 없었다. 혹 주일날 어깨에 손을 얹으시고 열심히 기도해주시던 목사님이 아닐까 생각해 보았다. 목사님에게서도 그런 흔적을 찾아볼 수가 없었다. 그렇다면 다른 주에 살고 있는 그 친구? 아니면 친 교실 주방을 맡으셨던 P집사님? 나물만 자꾸 앞으로 내밀던 그 성도! 아참! 요전에 예쁜 카드에 '건강이 나쁘다는 소식을 듣고 슬펐습니다.'라고 적어 보낸 Y! 보채는 아이를 태우고 한 시간을 운전하여서 도토리묵 가루와 양배추 김치 등을 싸 들고 왔던 M? 만날 수가 없다고 날마다 전화로 기분과 혈당 정도를 물어 보시며 격려와 위로를 주시는 K여사님? 백 병원 당뇨 교실 교제를 컴퓨터에서 몽땅 뽑아들고 달려온 유학생 총각? 혈당 측정기를 사왔던 예쁜 얼굴만큼이나 마음씨 고운 약사 아가씨 J? 현미가 백미보다 얼마나 좋은가에 대하여 열변을 토해 가며 실명하고는 현미 쌀 한 자루를 들고 와서 현미 밥 먹는 습관을 갖게 해준 K? 한참을 적어 가던 김 여사의 얼굴엔 난감한 빛이 서려있다. 도대체 이 많은 사람들 속에서 어떻게 그 주인공을 찾아낸다는 말인가? 그렇다고 일일이 붙잡고 물어 볼 수는 더더욱 없는 일 아닌가 .

갑자기 김 여사의 손에 들린 연필은 춤을 추고 있었다. 그러다가 그녀의 얼굴은 서서히 행복한 표정으로 변해가고 있었다. 이윽고 안경 너머의 눈 속에서는 눈물이 흘러내리고 있었다. '내가 죽으면 울어 줄 사람들이 이렇게 많구나!' 자신도 모르게 나오는 독백, 진정으로 사랑을 나누는 자들의 명단을 읽어가고 있는 자신을 발견한 것이다 .

사랑하는 많은 사람들을 찾아 낸 그녀, 행복에 겨운 눈물을 훔치며 숨어 있는 그 사람이 주고 싶었던 진정한 의미를 어렴풋이 깨달을 수가 있었다. 쌩떽쥐 베리의 '어린 왕자'가 별을 가르쳐주지 않고 떠난 이유, '오른손이 한 일을 왼손이 모르게 하라'는 예수님의 말씀을 생각했던 것이다.

김 여사는 뒤뜰로 나갔다.

어둠 속에서 호박 줄기가 올라간 모습이 한 폭의 묵화를 그려내고 있는 것 같은 울타리 옆 나무 벤치에 앉았다. 밤하늘을 올려다보며 별마다 한 사람 한 사람 소중한 이름들을 붙여보고 마음속으로 당신들 모두가 걱정해주는 건강 그 마음들을 위해 반드시 이길 것이라고 손에 힘을 주었다.

발 옆에서는 창문으로 새어 나온 불빛을 받아 빨간 자기 빛을 드러낸 한국 토종 고추가 미풍에 살랑살랑 몸을 움직이며 행복으로 얼굴이 빛나는 김 여사를 올려다보고 있었다.

전화 요금 고지서

배달 된 전화 요금 고지서를 펴 보는 순간 내 눈빛은 빛났다.

000-000-0000   00min $00

XXX-xxx-xxxx   00min $00

모든 시외선화 요금이 무료인 탓에서다. 지난 딜 우리가 다달이 내고 있는 요금에다가 얼마만 더 내면 장거리 국내 전화요금이 무료라는 기획 상품 안내서를 보고 택했던 결과였다.

사실 그동안 전화요금 때문에 얼마나 신경이 써졌던가. 한번에 일불 이하가 대부분이었지만 한 달을 모아 놓고 보면 헛돈이 나가는 것처럼 그렇게 아까울 수가 없었다. 그래서 전화 요금 고지서를 받을 때마다 내가 지나치게 시간과 돈을 허비했나 싶어 후회 한 적이 한두 번이 아니었다. 그런 나의 마음을 알아챘는지 가끔 동생이 저렴한 가격으로 할 수 있는 전화 카드를 보내주곤 하였다. 친정과 멀리 떨어져 사는 누나를 사랑하는 마음에서 보내는 것이기 때문에 기쁜 마음으로 받기는 하였지만 늘 미안한 마음을 갖지 않을 수 없었다. 그러던 차, 정액요금 프로그램을 보고 옳다구나 하고 택했던 것이다.

처음에는 정말 그럴까? 의문이 없는 것도 아니었다. 그러나 속는 셈치고 그 상품에 가입했고 그 후 열심히 전화를 사용하였다. 필요 없는 이야기도 많이 나누었고, 묵은 수첩에서 잠자고 있던 번호까지 꺼내어 전화를 걸어 신나게 이야기하고 또 이야기하다가 누구누구의 안부를 묻고 얻은 번호로 또 전화하고, 그렇게 한 달간 걸었던 내력이 자그마치 세 면에 가득했다. 그런데 그 고지서가 신기하게도 아니 당연하게도 요금이 무료였으니 내 눈빛이 찬란할 수밖에.

몇 시간 동안 전화 횡재로 기뻐하던 나는 천국을 분배하신 하나님 방식이 분명함을 알아내고 말았다.

예수님께서 나의 구세주이신 것만 고백하면 무거운 죄든 가벼운 죄든 죄 값 무료인 그 방식 말이다. 장소도 가리지 않고 어린이든 어른이든 천한 자든 귀한 자든 모두 천국 시민이 되는 그것과 어쩌면 그렇게 닮았을까?

사람을 미워한 죄, 남의 물건 슬쩍한 죄도 사했다. 남을 시기한 죄, 그것도 모두 사해 주었다. 남의 마누라에게 눈독들이고, 부모님 업신여기고 형제를 모함하고 살아가면서 마음속으로 살인했었던 그래서 이미 죽어야 마땅했다. 그런데 회개를 통해서 천국이 내 것이 되었다.

　나는 그런 하나님의 은혜를 생각하면서 전화요금 고지서 들고 기뻐하였다. 그것은 바로 천국을 얻은 그런 기쁨이었다. 혼자서 킥킥 웃으면서 행복해 하고 있는 그때 남편이 들어왔다. 남편이 고지서를 펼쳐 볼까봐 순간 당황하였다. 마음대로 전화하기 위해서 가입한 프로그램이었지만 그래도 염치가 없었다. 남편, 아니 그 누가 본다고 하여도 안 될 일이었다. 일하는 여자가 전화통을 붙들고 수다 떠는 것으로 많은 시간을 허비했다는 그 자체만으로도 용납될 수 없는 일이다.

　나는 똑바로 남편을 바라볼 수가 없었다. 예수님께서 이런 나의 한심한 꼴을 보시면 얼마나 안타까워하실까? 언젠가 요단강 건너 하나님 앞에 설 때 전화요금 청구서처럼 손에 지나온 날들의 흔적이 들려지리라. 그때 전화 회사 손해 보게 하고 기뻐했던 나를 보고 어떻게 판결을 내리실까. 게다가 바쁘다는 핑계로 교회일도 피했고, 성경책보다도 소설책에 손이 먼저 간 나였다. 그런 내가 하나님을 해결사 정도로만 생각하는 그런 믿음 생활이었으니 얼마나 부끄러운 일인가.

　그렇다. 나는 이런 청구서로는 결코 천국에 갈 수는 없다. 일상 살아가다가 손해 보면서도 예수님을 생각하고 웃을 수 있었다. 거짓말 하려다가도 예수님을 믿는 자라는 이름 때문

에 거짓을 피하면서 살았다. 피곤해 지쳐있었지만 성도님의
선한 부탁을 들어 주었다. 성경 말씀 어려워도 지키려고 노
력했다.

그래, "모두 무죄니 천국으로 들어와. 이 면류관 받아라"
이런 청구서를 받아야 한다.

빛이신 나의 주님 앞에 섰을 때 "주님 나 괜찮았었지요?"하
는 웃음 살짝 웃으면서 거룩한 얼굴을 뵙는 삶이고 싶다.

독백

딸아이가 나간 사이 아이가 쓰던 빈 방에 들어가 본다.

18년 동안 몸담고 자랐던 방이다. 딸네미의 체취며 웃음소리가 그대로 배어있다. 기쁘고 슬프고 아름답고 밉고 사랑스러움이 한데 어울려 많은 감정들을 다스려 가며 생활하였던 귀한 공간이 아닌가.

방 한쪽에 서본다. 그리고 내 품을 떠나기 전에 꼭 가르쳐 주었어야 했을 마음속의 말들을 혼자 정리해본다. 웅얼거리는 가슴 속의 말보다 먼저 귓가에 들려 오는 듯한 소리 "엄마! 나는 엄마 많이많이 사랑하는데 햇빛 있을 때 좀 와 주세요. 햇빛 있을 때!" 많은 시간이 흘렸는데도 조금 전에 들었던 것처럼 딸아이의 말이 너무도 생생하게 떠오른다. 되뇌면 되뇔수록 그 말이 내게 더 많은 아픔을 준다. 순간 아이를 안아주고 싶은 충동을 느낀다. 그러나 아무것으로도 남지 않은 지나간 시간들이 큰 공백이 되어 가슴 아프다.

그러니까 세 살 반쯤 되었을까? 아이들을 할머니께 맡기고 새벽 다섯 시에 집을 나가 저녁 일곱 시에야 들어오는 우리 부부를 반갑게 맞으면서 아이들은 괴상한 버릇을 부리기 시작하였다. 원숭이 새끼들처럼 작은 궁둥이를 지네 아빠 발등 위에 붙이고 두 다리와 팔로는 아빠 다리를 감아 버리는 그러한 행동이었다. 갑자기 양쪽에 한 놈씩 철갑 인형 다리가 된 아빠가 무거운 걸음을 옮기면서 엄살을 부리면 아이들은 깔깔대며 좋아라 웃어대다가 뒤따라 들어오는 나를 향하여 바쁘게 재잘거렸다.

사실 이민생활이 힘든 것은 배고픔도 아니요, 그리움도 아니었다. 그것은 바로 시간의 궁핍이었다. 쫓기고 쫓기는 너무 바쁜 일과였기에 아이들을 어딘가에 맡기고 허둥대며 뛰어다녀야만 했다. 우리 집처럼 어머니께서 같이 살 수 있는 집은 그나마 다행이었다. 아이들을 다른 곳에 맡기고 일을 다녀야 했던 이들은 어떠했었겠는가.

한 친구의 말이 생각난다. 큰아이 학교 데려다주고 작은 아이 놀이방에 맡기고 출근시간을 맞추자면 아침은 한바탕 전쟁을 방불케 한다고 했다. 급하게 먹을 것 챙겨주고 출근 채비하며 자신도 모르게 소리를 치고 만단다. "빨리 빨리 먹어라. 빨리 빨리 먹어!" 그러다가 재촉하는 소리에 장단을 맞추듯 숟가락질 바쁘게 하며 음식물을 씹지도 않고 꼴깍꼴깍 삼키는 아이들을 보고, 체할 것 같은 염려가 몰려와 다시 다급한 목소리로 "천천히 먹어야지!"라고 명령을 하는 이중 잣대 생활을 해야 했다. 그러는 어머니를 아이들은 숟가락을 놓고 멍하니 바라 보더라나.

아마도 엄마의 그런 행동에 이해가 가지 않았을 것이다. 아이들의 이상한 눈초리를 바라보고 있노라니 이것이 무슨 짓인가 싶고 너무 서글퍼 눈물이 나오더라는 친구의 독백을 듣고 그날 하루 종일 많은 것을 생각했다.

차분히 아침을 먹이고 학교 보냈다가 끝나는 시간에 맞추어 좋아하는 음식 만들어 놓고 잘 정리된 집에서 웃으면서 맞이하고 싶은 생각에 일도 팽개치고 싶었지만, 그런 사치스러운 생각은 환상뿐이고 돌고 돌아가는 시간 속으로 자신을 떠밀어 넣어야 했던 지난날들이었다.

아이들의 성장기, 부모의 손길을 가장 필요로 할 때 무엇이 중요한지도 모른 채 일만을 향해 뛰었다. 피곤해진 몸을 겨우 가누고 집에 들어와 저녁을 먹고 나면 아이들은 엄마 품에 매달리었다. 그러나 피곤해 지친 나는 냉차게도 아이들을 이리저리 피해 머리 붙이고 자야만 했다.

아침에 일초를 아끼느라 학교 마당에 아이들을 내려놓고 "좋은 하루 보내어라. 기쁜 날 되어라" 인사 대신에 짧은 '빠이'로 해야 할 만큼 여유 없는 시간들이었다. 그때마다 나는 운전대 잡고 마음속으로 기도 했다. '주여, 저 아이들의 하루를 주님께 맡기오니 아무 탈 없게 잘 맡아 주소서!'라고.

학교 행사는 어떠했나. 매달마다 한 번씩 있었던 견학 시간들. 부모들의 도움이 꼭 필요했던 그 시간들마저도 같이 해주지 못했다. 선생님이 알아서 누군가의 차에 태워 주겠거니 하는 마음으로 아이들을 돌보지 못했다. 아니, 애써 모른 척했다고 하는 것이 더 정확한 답일지 모른다. 하지만 기 펴지 못하고 구석에 앉아 있을 안쓰러운 내 아이들의 생각에 하루 내내 마음 저려야만 했다. 학교라고는 저희들 생일날이 고작이었다. 케익 하나 들고 한 번 찾아가면 엄마가 무엇이 그리 자랑스럽다고, 이 친구 저 친구 불러가며 우리 엄마 우리 엄마 소개하고 활짝 웃던 티 없는 아이들의 얼굴이 생각난다.

그것이 최선을 다한 나의 생활이었다고 변명을 늘어놓았지만 어쩌면 내 자존심을 무너뜨리지 않으려고 스스로에게 던져보는 위안인지도 모른다. 그러나 언젠가는 일에 빼앗겨버린 소중한 시간들이 최선이었다고 변명 할 수밖에 없는 엄마를 이해해 주리라 믿는다. 이국 생활에 처음 뿌리가 없어 그 뿌리를 내리기 위한 작업이 바로 일이었으니까 말이다.

이제라도 다시 돌아오지 않을 그 시간들을 아이들에게 돌려주어야 했었다. 그런데 나는 그런 소중한 이야기들을 들려주지 못하고 기숙사로 훌쩍 떠나보냈다. 이제라도 그들에게 들려주고 싶은 것은 엄마의 살아온 경험들을 토대로 인생을 우회하는 실수를 범하지 않게 하기 위함이지만, 한길로 컸다고 엄마의 교훈 섞인 이야기를 잔소리라고 넘겨버릴까 두려워서 지금까지 미루어 왔다.

이웃들은 엄마와 딸이 혹은 아빠와 아들이 함께 집을 나서면서, 때로는 발레 구경 간다느니, 때로는 스키 타러 간다느니 하는 모습들을 많이 보아왔다. 그들은 그렇게 여유를 갖고 살아가면서도 우리보다 더 넉넉하게 살아가는데 우리는 그렇게 해주지 못한 것이 못내 미안한 마음뿐이다. 누구에게나 똑같은 시간이 주어졌는데 그토록 바쁘게 살았던 생활이 무슨 의미가 있었을까? 어디에다 저축해 놓은 것도 없는데 그 많은 시간들을 왜 그리 아이들한테 인색하게 굴면서 살았을까하는 후회만 앞선다.

이젠 아이들이 나를 절실히 필요로 한 시간들은 지나가 버렸다. 그들이 나를 필요로 했던 시간에 내가 함께 해주지 못했으니 앞으로 나에게 그들의 도움이 꼭 필요한 시간에 달려오지 않는다고 할지라도 할말은 없다. 아니 백번 이해해 주어야 한다. 그들은 최선을 다해 살고 있는 중이라고.

그러나 꼭 하고 싶은 말 한마디를 마음속 서랍 안에 깊이 넣어 놓고 이따금 꺼내어 혼자 말로 중얼거려 본다. "나는 너희들을 많이많이 사랑하는데 자주 좀 와 줄래? 자주 좀." 이 말이 나오려고 할 때마다 돌아 올 말을 떠올려 본다.

"엄마 많이 사랑하는데 햇빛 있을 때 좀 오세요. 햇빛 있을 때 꼭이요." 쌓아놓은 것도 없으면서 바둥거리며 살아왔던 지난 시간들. 아이들에게 잘 대해주지 못한 것이 생채기가 되어 영원히 귓가에 맴도는 소리. 그 소리만이 딸내미 떠난 방에 메아리 되어 내 가슴을 밀고 온다.

오도방정 떠네

　내가 한글학교 교사를 하고 있을 때 큰아이 녀석도 한국어 반에 들어있었다. 시험이 끝난 어느 날이었다.　아이를 맡은 선생님이 시험지를 들고　내 방에 찾아왔다. 아이가 자기 시험 채점이 잘못되어 있다고 따진다는 것이었다.　단어 시험이었는데 AIRPLANE을 '방기'라고 써 놓았다. 당연히 틀린 답이었다.　그런데도 아이가 선생님의 지적에 항의 하는 바람에 시험지를 가지고 왔노라고 난감해 하는 표정이었다.

　모음과 자음을 겨우 엮어 한자 한자 읽혀가던 그때 얼마나 애를 써가며 할머니식 비행기를 만들어 내고는 무척 기뻐했을 것이다. 그 노력을 아시는 선생님이었기에 궁리 끝에　일단은 맞은 걸로 할 테니 나에게 그것이 정답이 아니라는 것을 이해시켜 달라는 부탁이었다.

　그때 내 손에도 내가 맡은 반의 시험지가 들려져 있었다.

은행이라고 정답을 써넣어야 하는 곳에 '돈 집', 도서관을 '책 집', 식당을 '먹어 집'으로 씌어져 있었다. 그래서 틀렸다고 해야 할까 아니면 맞다고 채점할까 궁리하던 참이었다.

우리 아이는 한국말이 어렵다고 아우성이다. 틀린 말은 아니다. 영어만을 사용하는 아이들로서는 어순이나 존댓말 같은 한국어의 체계가 낯설지 않을 수 없을 것이다.

아이들이 아주 어렸을 때 한국 동요 테이프를 구해 주었다. 거기에 "소나무야 소나무야 언제나....."라는 노래가 실려 있었다. 어느 명절날 온 집안 식구가 모여 아이들에게 노래를 시키는 시간이었는데 아들 녀석이 먼저 손을 들더니 자신 있게 "cow tree, cow tree..."라고 노래를 불렀다. 배꼽을 잡는 식구들 앞에서 소는 cow고 나무는 tree라는 설명까지 했다. 제 딴에는 영어로 통역해서 불렀다고 자랑이다.

집에서 열심히 노력하는 모습이 기특하기도 하고 우리말을 엉망으로 쓰는 아이들이 안쓰럽기도 하였다. 그렇다고 그냥 보아 넘길 수만은 없어서 어느 날 그것도 모르냐면서 회초리를 들고 매매하자고 했더니 "잘못 했습니다"가 생각이 안 났는지 "고맙습니다"를 연달아 하지 않는가. 나는 화난 얼굴에 그만 너털웃음을 짓고 말았다.

하루는 축구하러 공원에 데려다 달라는 소리를, "나 공원에 갖다 줘!"라고 하는 것이 아닌가. 그런가하면 "누가 내 신발 입었다", "아이가 기저귀 입었어요", "아빠가 넥타이 입었어요", "엄마가 목걸이 입었어요", "동생이 머리띠 입었어요",

"장갑과 마후라를 입었어요"라고 표현하는 것이었다. 정말로 기가 막힐 노릇이 아닌가. 인칭 대명사라든가 명사 뒤에는 받침이 없으면 '가'를 사용하고, 받침이 있으면 '이'를 쓰라고 아무리 가르쳐 주어도 이해하지를 못했다. 언제나 '가'를 넣어서는 '동생가, 삼춘가, 여정가, 선생님기, 경찰가, 서 사람가, 산가, 사슴가, 곰가,' 라고 써놓았다. 머리 속에 이미 박혀버린 '가'를 '이'로 바꾸기가 쉽지 않는 모양이었다. 그리고 아이를 부르면 "예, 갑니다요" 대신에 대답하는 소리 '온다요'로 바꾸어 사용하기 일쑤였다. comming의 개념에 존대어의 '요'를 부친 순 콩글리쉬를 사용하고 있는 거다. 아이들의 존대어는 무조건 끝에 '요'를 쓴다. '할아버지 먹어라요, 가자요, 봐라요, 귀엽다요, 싫다요' 등등이다.

또한 다급한 순간에는 영어와 한국말을 섞어 사용해서 가슴을 저리게 할 때도 있다. 한번은 사촌들과 같이 놀이터에 갔는데 문여는 시간보다 20여 분 일찍 당도하였었다. 그런데 아들 녀석이 갑자기 용변이 급했었던지 정시에 문여는 그곳을 마구 두들기며 큰소리로 외쳐대더란다. "Open the door. I have to go 똥!" 알아듣지도 못할 똥 소리를 얼마나 크게 하던지 옆에 있던 사촌 누나가 아이의 급한 사정이 불쌍하기도 하고 우습기도 하여 눈물범벅 콧물범벅이 되었다는 것이다. 다행이 융통성 있는 직원이 문을 열어주어 해결은 되었지만 두고두고 사촌들의 유행어가 되어버렸다.

그런가하면 어른의 말을 그대로 흉내내다가 실수를 하기

도 한다. 제 딴에는 잘하는 것인 줄 알지만 한국어의 존댓말을 모르는데서 빚어진 현상이다. 할머니가 지네 아빠를 "아범아, 아범아"라고 부르자 저희들도 "아범"으로 부르고, 아빠가 엄마를 "여보"라고 부르자 저희들도 "여보"라고 부르다가 할머니께 야단을 맞은 적도 있었다. 또, 아빠 저녁 잡수시라 말씀드리라고 했더니 아이는 "나 잡수실 것도 같이 주세요"로 대꾸하는 녀석을 두고 어찌 웃음이 쏟아지지 않겠는가. 내가 이웃과 이야기 도중에 딸내미가 자기를 가리키면서 "우리 댁에서는요 이분(자신)이 막내예요"하는 통에 기겁을 했다. 그런 나에게 선생님 댁, 고모님 댁이라는 말과 누구를 이분, 그분 하는 것이 근사해 보여서 자기도 한번 써 보았노라는 대답이다. 그걸 보고 더 할 말이 있겠는가.

중학생 아들과 같이 차를 타고 가던 아버지가 자주 차선을 바꾸는 앞차를 보고 혀를 끌끌 차며 "지랄할 것, 오도방정도 떨고 있네"라며 혼자 중얼거렸단다. 며칠 후 시계를 잃어버린 아버지께서 온 집안을 뒤지며 시계를 찾아 헤매자 아들 녀석이 아빠더러 "지랄할 것 오도방정도 떨고 있네"라고 하여 온 식구가 기절초풍한 적도 있다.

제법 자라서는 어디서 듣고 왔는지 한국계 미국인들만이 이해할 수 있는 유머를 알아 가지고 와서 한다는 말이 "한국 사람 귀가 없으면 어떻게 될까요?"하지 않는가. 내가 얼른 대답을 못하자 대답은 "귀엽다(귀 없다)"란다. 그리고는 "꽃을 찾아온 벌에게 꽃이 뭐라 하는지 아세요?"라고 묻고는

"와사비(What's up bee.)"라고 한다는 것이다.

미국 남자랑 결혼한 명이라는 여자가 부부 싸움 후 짐을 싸가지고 나가는 것을 남편이 안타깝게 말리는데 더욱 화를 내면서 돌아보지도 않고 갔는데 남편이 '똥구멍'(Don't go Meyng.)이라 했데요. 그리고 'Bob'이라는 이름을 김씨가 가지면 김밥(KIM BOB), 오씨가 가지면 바보(BOB OH)란 다. 계속해서 하는 말 "내 친구 추영호가 축구선수이면 어떻게 응원하게요?" 질문하면서 "고추, 고추 할거예요(GO Choo). 하하하 우습지요?"하고 너스레를 떤다.

연년생인 두 놈이 참 잘도 싸웠다. 성격이 깔깔한 동생을 이길 수가 없어 궁여지책으로 내뱉는 말 "야! 내가 너보다 어른인데 왜 내 말을 안 들어!" 하자, 대답하는 소리 "냅둬 미" 그만 귀찮게 하라는 소리란다. 누군가가 "냅둬유"하는 소리를 "냅둬 you"로 알아듣고 자기 딴에는 나를 가만 두라는 소리를 "냅둬 me"로 쓴 모양이다

화장실로 뛰어간 아들의 외마디 소리가 들렸다."엄마! 코핑!(코피ing)"하는 것이었다. 즉 코피가 나온다는 말이었다. 급하게 아들 있는 쪽으로 뛰는 내 뒤 꼭지에 대고 남편이 하는 말 "한국말 배우느라 객지 나와서 고생 많이 한다."라나. 그렇다. 아이들은 객지 아닌 객지에서 살다보니 실로 모국어를 배우느라 한국 아이들이 영어를 배우는 것만큼이나 땀을 흘리고 있다. 그런데도 한국 사람들은 영어만큼 더 어려운 것이 없으리라 생각할 것이다. 그것은 아닌데.

문화의 차이

친정 나들이는 언제나 기쁘다. 4시간의 비행도 피곤함을 느낄 줄 모르는 게 친정 가는 길이다.

친정 가는 날 나는 제법 멋을 부린답시고 옷 중에서 제일 예쁜 연한 갈색 잔잔한 꽃무늬 원피스에 굽이 높고 세련된 갈색 뾰족 구두를 골라 신었다. 그런데 웬걸 비행기에 오른 지 채 한 시간도 되지 않아 발이 부어오르기 시작하였다. 아예 신발을 벗었으나 고통은 점점 심했다. 공항에 도착해서는 할 수없이 신발 속에 발을 구겨 넣고 게이트로 나왔다. 짐 찾는 곳까지는 20여 분은 족히 걸어야 할 텐데 난감했다.

인어 공주가 목소리를 마녀에게 주고 지느러미 대신 얻은 다리로 걸을 때마다 생긴 고통이 이보다 더 심했을까. 아마도 이보다 심한 고통은 없을 것 같았다. 덩치 큰 아들이 거의 끌어안다시피 하였으나 몇 발짝 가지 못하고 게이트 의자에 주저앉지 않으면 안 되었다. 그 때마다 남편이 체면 불구하고 잠깐씩 주물러주기를 수십 번, 가까스로 짐 찾는 곳까지 갔다.

이런 바보짓은 내 탓만은 아니다. 실리적이고 편리함을 추구하는 캘리포니아 스타일의 고전적인 지존심 딕이다. 그러니까 정 많고 점잖은 중동부 시카고 양반인 나의 가족들이 내 그런 자존심을 건드려 놓았던 것이다.

일 년에 한두 번 친정나들이를 한다. 겨우 하루 이틀 머물렀다가 돌아오는 나들이라서 그런지 동생이며 올케들이 얼마나 신경 쓰는지 모른다. 우리 온 가족이 갔을 때는 남편과 아이들하고 골고루 나누어 관심을 받기 때문에 잘 몰랐다. 그런데 지난번 혼자 갔을 때는 크게 눈에 나타났다. 그때도 시간으로 치자면 38시간밖에 머물지 못한 짧은 여행이었다. 7남매의 가족들과 부모님이 계신 그곳은 언제나 반가운 얼굴들이다. 그런 얼굴들에게 신경을 쓰다 보면 실속도 없는 보따리가 몇 개 되고 만다. 그래서 내 소지품은 최소한 줄이기 위해서 들고 가는 가방에 찔러 넣고 청바지에 T-shirt와 작업화를 편하게 신고 갔었다. 산 지가 몇 달이 되어 비록 빛은 바랬지만 발에 익숙해져서 맨발 다음으로 편한 것이었다.

그날도 토요일 이른 아침에 친정에 도착하여 한숨자고 일어나서 아침을 먹었다. 그런데 오빠가 잠깐 같이 갈 곳이 있다고 하기에 따라 나섰다.

오빠는 나를 신발 가게로 데리고 가는 게 아닌가. 그러더니 다짜고짜로 하시는 말씀 "여기서 맘에 드는 신발 두 켤레 고르지 않으면 가게를 나갈 생각일랑 하지 말라"는 것이었다. 편안해서 신고 온 빛바랜 신발이 오빠의 눈에 걸렸던 모양이다.

"오빠! 그게 아니구요. 집에 신발이 얼마나 많은데" 하며 편한 신발을 신게 된 사연을 이해시키려 했으나 대꾸도 하지 않은 채 문간에 지켜 서서 손사래만 치는 것이 아닌가. 오빠의 고집이라면 남편조차도 이기지 못하는 터라 내가 지고 말았다.

저녁에 온 가족이 모여 모처럼의 회포를 풀고 늦게 헤어졌다.

일요일 아침 겸 점심을 마친 후 오후 5시 비행기 시간을 맞추기 위해 떠날 준비를 했다. 멀리 사는 딸이 오기 몇 달 전부터 불편하신 몸으로 만드신 손주들이 좋아하는 볶음과 졸임, 그리고 사위가 좋아하는 윤기 나는 조청 고추장을 챙겨 주셨다. 그러면서 "언제 또 다시 볼 수 있겠냐?"고 말끝을 흐리셨다. 팔십이 훨씬 넘으신 부모님들이라 건강에 자신이 없으신 모양이다. 나는 눈시울이 붉어지는 것을 보여드리지 않으려고 고개를 돌리고 있는데 막내 올케가 들어왔다.

"언니"하며 내 손에 봉지 하나를 건네주었다. 예쁜 블라우스 하나가 들어 있었다. 잠시 후 들어오는 올케들의 손에 약속이나 한 듯 모두가 옷 봉투들이었다. 의아해 하는 나에게 자기들 생각하면서 입으라 했다. 고맙고 미안했다. 그런데 잠시 후 내 친언니는 고급양장 한 벌을 건네주는 게 아닌가. 구석으로 언니를 끌고 가서 다그쳤다. 살림하기도 힘들 텐데 너무 나만 생각하는 이유가 무엇이냐고? 그러자 언니가 " 야! 너 이 차림새가 뭐냐. 네 나이에 청바지라니!" 라며 안쓰러운 표정을 지었다.

 '아 그랬구나! 내 모습이 눈에 거슬릴 정도로 나이에 맞지 않았구나.' 몇 벌의 옷을 얻는 기분이 기쁘지 만은 않았다. 편리함만을 추구하는 나의 문화가 형제애 가득한 친정 식구들의 마음을 아프게 한 것이었다. 같은 나라에 살면서도 지역의 문화가 뚜렷이 다르다는 것을 실감했다.

 어찌 옷차림뿐이겠는가. 말씨와 생활 전반에 걸쳐 다르게 나타나는 문화. 따지기 좋아 하는 딸내미가 언성을 높여가며 어미인 나와 또는 아빠하고 토론할 때는 참으로 가관이다. 언젠가는 시카고 사는 같은 또래의 사촌이 아이의 입을 막으면서 "어른한테 왜 그러느냐고" 말리기까지 했다. 허나 우리에게는 아무렇지도 않다. 끝까지 자기 의견들을 피력하다가 피차 잘잘못을 가린다. 옳은 것은 옳고, 틀린 것은 틀림을 시인한다. 그리고 토론은 종결된다. 질서가 없는 것 같지만 이것이 우리 집의 질서이다.

 처음 미국에 왔을 때 시누이들이 "Where is mom?" "She is out side." 라는 대화를 듣다가 아연실색을 한 적이 있었다. '아니, 어떻게 엄마에게 She 라고 할 수 있나?' 새댁인 그때에 누구에게 말도 못하고 방으로 들어가 엄마와 she사이 있어야 할 무언가 다정하면서도 어머니의 권위를 높여 드릴 수 있을 것 같은 적절한 단어를 찾아내느라 끙끙거리다가 엄마가 she가 된다는 것은 용납할 수는 없었지만, 그렇다고 뾰쪽한 방법이 없어서 체념할 수밖에 없었던 기억이 있다.

어떤 아버지는 아들이 자기에게 "You are ..." 하는 순간 손을 들어 뺨을 치며 "아이들 교육 위해 미국에 왔는데 아이들 다 버렸다"고 통탄해 했다는 말을 듣기도 했다. 이젠 내가 아이들에게 you 또는 she로 불리어져도 자연스러워진 것은 물론이요 아들이 내 머리를 쓰다듬으면서 "우리 엄마 참 귀여워요"라고 우스꽝스러운 말에도 기뻐하는 캘리포니아 사람이 된 지가 오래다

하지만 시카고 식구들의 마음을 아프지 않게 하려고 예쁘게 차려 입었던 것들이 지나쳤을까.

아들이 한 팔로 나를 감싸 안은 듯이 부축하고 걸어가는 모습과 공항의자에 죽을상 짓고 앉아있는 마누라의 발을 사람들의 눈도 의식하지 않고 주물러대고 있는 남편의 모습을 보면서 나는 그저 행복했었다.

그러나 행복이란 자기 기준만은 아닌 모양이다. 남에게 불편을 주지 않을 만큼의 행동도 행복의 조건임을 친정 나들이에서 처음으로 깨닫게 되었다.

融合과 신앙이 凝結된 箴言的 齊合性

-강효순의 수필집-

鄭 周 煥

(文學博士. 湖南大 敎授)

1. 문학이란 성을 찾아서

이상한 일이다. 사람들은 왜 그럴까. 문학을 특별한 성곽(城郭)으로 구축하려 든다. 나와는 상관없는 그리고 나와는 너무 먼, 그런 이방적 세계로 울타리 치려든다. 그러나 우리의 일상 속에 녹아 있고, 일상 속에 살아 꿈틀거리는 것이 문학이다. 초라한 이웃집 아저씨의 가슴 속에도, 하찮게 보이는 시장 모퉁이의 할머니의 가슴 언저리에도 문학은 생생한 강줄기가 되어 흐르고 있다. 이렇듯 문학이란 특별한 성이 아니다. 희귀하거나 아주 특별한 얘기도 아니다. 우리 일상의 살아가는 인간의 숨소리가 모두 문학이다. 그래서 조금만 관심을 가지고 사물을 대한다면 작품을 생산하는 작가가 될 수 있다.

서두에 이런 아주 상식적인 화두를 제언하는 데는 나름대로 이유가 있다. 강효순이 그 중의 한 사람이었기 때문이다. 그는 고등학교 때부터 문학에 열중한 사람이다. 중고등학교 때 문예 반장을 지냈고 백일장 대회에서도 많은 상을 휩쓸다시피 한 화려한 경력의 소유자다. 그런 경력 때문인지 그는 미국에서 이민생활의 역경 속에서도 문학에 대한 열정을 버리지 못하고 글을 써왔고 그곳에서도 백일장 대회에서 입상을 하는 등의 행운을 안기도 했다. 그런 그가 어느 날 내게 원고 뭉치를 이메일로 보내왔다. 그리고 며칠 후에 "과연 수필이 될 수 있겠느냐?"면서 망설이듯 물어왔다. 여간 조심스러워 하는 목소리가 아니었다. 그의 글은 이미 농익어 일가를 이루고 있었다. 삶의 깊이가 응결되어 있을 뿐 아니라 경물을 초월하여 자연의 기묘한 이치를 체득한 인생의 경지를 이루는 작가적인 안목을 두고 있다. 그런데도 굳이 작가이기를 거부하는 그 진지성에 문학에 대한 넋두리를 해 본 것이다.

사실 나는 강효순의 작품을 오래 전부터 대하여 온 사람이다. 그리고 그의 작품을 대할 때마다 감동하지 않은 적이 한두 번이 아니다. 인간이 존재하는 그리고 살아갈만한 내재적 이유를 그의 작품 속에서 발견하였기 때문이다. 그리고 인간적인 그만의 문학적 향기가 오랫동안 내 몸에 이미 녹아나 내 영혼을 꽉 차지하고 있었기 때문이다.

2. 고백, 그의 超越性

〈별 속에 숨은 사람〉 속에는 강효순이 어떤 인품의 소유자인가를 잘 알 수 있는 대목이다. 때로는 감동하고 때로는 전율하고, 때로는 웃고, 때로는 시원하고 대로는 평안함을 준다. 그만치 그의 수필에는 맑은 영혼과 재치가 넘친다.

작품 〈눈물이야기〉만 보더라도 일상의 엄격한 삶을 발견할 수 있다. 그는 "어지간해서는 눈물을 흘릴 줄을 모르는 여인"이라고 자신을 소개하고 있다. 그가 울지 못하는 데는 눈물이 없는 독한 여인이어서가 아니다. 되레 그 반대다. 여인의 무기라는 눈물을 그는 비굴하게 사용하지 않는 내면의 그의 엄격성 때문이다. 그 엄격성은 정확하게 말하자면 정직성이지만, 한 편으로는 자존심일 수도 있다. 진짜 자존심은 상대를 제압하기 위함이 아니라 자신을 포기하지 않는 정직성이다. 상대를 단숨에 제압할 수 있는 '눈물'이라는 속성을 그가 모를 리 없다. 그러나 그런 방법은 위선적인 非德으로 생각하고 있음이 분명하다. 이처럼 그의 수필은 이지적이고 명확한 인식을 통하여 수많은 정감을 만들어 내고 있다. 자신의 미완성의 수필화를 통해서 독자가 참여할 수 있는 통로를 제공해 주고, 더 나아가서 그 자신의 존재론적 가치성을 확보하고 있다. 그러나 '눈물이 없다'는 말은 역설이다. 사실은 그는 눈물이 많은 여인이다. 즉 한 방울의 눈물을 금세 흘릴 수 있는 여인이라는 것을 알 수 있다. 마지막 장면의 그의 걷잡을 수 없이 흐르는 눈물이 그것이다. 이처럼 그는 언제든지 눈물을 흘릴 준비가 되어 있는 여자다. 그러나 눈물을 흘리지 않을 때는 어떤 일이 있어도 참아낸다는 패턴에 관심을 가질 필요가 있다. 그것은 어쩌면 비겁함을 용서하지 않는 그의 강직성이라고도 할 수 있다. 과거에 의절의 여인들의 상이 바로 이런 여인의 모습이었던 것을 감안한다면 그의 내면성을 알 수 있을 것이다.

"아침에 도를 들으면 저녁에 죽어도 좋다(朝聞道夕死 可矣)" 또는 "어진 사람은 살기 위해서 仁을 해침이 없고, 죽음을 무릅쓰고 인을 이룬다"는 공자의 말처럼 그는 자신을 꾸미거나 과대 포장하지 않는 仁義의 철학 속에서 살아간다. 그래서 그의 글은 무게가 있고 깊이가 있다. 대개의 수필 가운데는 자신을 과대 포장하거나 사회를 이죽거리는 수필이 많다. 그런데 그녀의 수필에는 그런 글이 한 편도 없다. 그만치 그는 융합과 의적의 순수의 여인이다. 그러면서도 가슴이 뜨거울 정로 인간적인 애정이 넘실대는 여인이다.

〈주책바가지〉에서는 그의 소박하면서도 진술한 삶의 자세가 잘 드러나 있다. 그는 인정 때문에 세 번의 실수를 겪는다. 한 번은 지인에게 인사를 하기 위해 친절성이었고, 또 한 번은 인간적인 情 때문에 습관적으로 나온 인행(仁行)이었고, 또 한 번은 그의 내면적인 삶의 자세가 그대로 노출된 인간적인 너무도 인간적인 착각에서 나온 것이다. 여기에서 세 개의 사건들을 아주 위트적으로 그려 놓고 있다. 수필이라기보다 한 편의 꽁트를 읽는 기분이 들 정도로 재미성까지 곁들이고 있다. 사건들은 한 인간의 주체적인 정적인 행동의 표현이라면 그 행동을 평가하는 비주체는 인간이기보다 어떤 형식을 존중하는 사회의 오만성에 대한 고발적 기능을 가지고 있다. 그런데 인간들은 그 오만함을 소위 품위라는 개념들로 받아드리고 있는데서 인간 사회는 더욱 살벌해 지고 있다. 진짜 인간의 마음은 이러한 인정을 소유하는데 있다. 진정한 인정 앞에는 사실상 어떠한 어떤 형식이나 예의가 힘을 잃어야 한다.

이러한 정적인 행동은 자녀들을 대하는 태도에서도 가슴 넓은 모상으로 잘 나타나 있다. 수십 번이나 운전 시험에 떨어진 아들아이에게도 아이에게 상처를 주는 말 한 마디 하지 않고 여유를 보여 주고 있다.

쌜쭉해진 나는 '에크, 인물 났다'를 속으로 몇 번이고 되뇌었다. 입만 열면 아이의 자존심을 건드릴 말이 튀어나올 것만 같아서 입을 꾹 다물고 열심히 저녁을 먹고 있는데 아이가 진지한 얼굴로 연습 할 때의 기쁨이며, 연극이 끝난 뒤의 감격 등을 이야기

하는 것이었다. 나는 순간 부끄러워지고 말았다. 작은 부분을 맡고 감격하여 열심을 낸 저 아이가 얼마나 큰 역할을 한 것인가. 생색나는 역할만 생각했던 나의 마음을 돌아보게 한 것이다. 무대 뒤에서 그 극 전체를 위하여 또 관객인 우리를 위하여 얼마나 정성으로 공을 던졌겠는가?

큰일이든 작은 일이든 그것이 사회를 구성히는데 도움이 되고 구성원들이 어우러져 하나가 되고 사회사업이 확장 된다면 무엇이 크고 무엇이 작다 할 수 있겠는가. 작은 일에 충실한 자라야 큰일도 성실하게 감당할 수 있다고 성경에도 나와 있지 않는가. 오히려 작은 부분을 맡고도 저 아이처럼 감격할 수 있는 순수함으로 살아간다면 얼마나 좋을까.

그 극 전체는 망쳤을지라도 소질이 없는 내 아이가 주역을 맡았다면 흐뭇해 했을 내 이기심을 들킨 것 같아서 쑥스러워졌다. 지혜가 부족하면서도 내가 아니면 안 될 것 같아 고집부리며 열심을 냈던 일들이 혹 다른 사람의 재능이 발휘될 수 있는 기회를 막지 않았었나 가슴 뜨끔하게 했다.

-〈한 달란트의 충성 〉

이 수필 역시 한 편의 코미디를 훔쳐보는 느낌이다. 연극을 관람하러 오라는 딸아이의 성화, 그리고 할리우드에서 교섭이 올지도 모른다는 자식에 대한 기대와 희망은 날개를 달고 영롱한 금빛으로 반짝거린다. 그리고 연극이 진행되는 동안 그 모정은 다음 연극 장면을 기대하면서 강한 생명력을 불러일으킨다. 그러나 딸아이는 얼굴은 끝까지 나타나지 않고 연극은 막을 내린다. 그 허탈감, 그리고 좌절감이 어떠한 것인가를 짐작하고도 남음이 있으리라.

딸아이는 얼굴도 나타나지 않은 단역에 불과한 그런 역이었다.

그런데도 몇 달 전부터 극성을 부렸고, 연극이 공연되는 날은 온 가족을 들뜨게 성화를 부렸다. 여기에서 오는 분노감과 패배감은 웃음까지 나올 정도로 극을 치닫는다. 보통의 어머니라면 상당 기간 분노가 아픔으로 몸부림질만한 사건임에 틀림없다. 그러나 화자 강효순은 그러한 자신의 순간적인 모습을 회개와 함께 부끄러움을 느끼면서 조직 속에서 열심히 최선의 한 몫을 다한 딸아이의 대중성을 사랑한다. 그의 분노는 이러한 의지로 잠재우고 모정은 이러한 이성으로 또 다른 세계를 추구한다. 그의 의지와 이성이 이렇게 성령이 충만함을 이루고 있는 것이 대부분의 작품의 형태다. 이렇듯 그는 사랑하는 지혜의 방법을 무한한 세계로 확대되면서 삶의 진실을 우리에게 들려준다. 여기에서 강효순은 위대한 어머니라는 것을 우리 모두는 느끼지 않을 수 없다. 그리고 박수를 쳐주고 싶다.

인간이 이렇게 아름다울 수 있다면 우리에게는 이미 종교 같은 것은 필요치 않을 지도 모른다. 그리고 선이니 악이니 하는 것조차 구별할 수 없을 것이다. 이러한 지선의 세계를 많은 사람들이 얼마나 추구해 왔던가. 이러한 지혜의 산문은 메시지와 관계없이 우리의 가슴을 시원하게 열어주고 우리의 영혼에 안식을 준다.

게다가 그의 수필은 그 구성 또한 문학적으로 아주 잘 짜여있다. 그래서 그의 수필을 읽는 맛이 배가로 증가된다. 앞의 수필에서 보다시피 한 편의 수수께끼 같은 구성법을 취하고 있는데서 글의 솜씨가 예사롭지 않음을 알 수 있다. 완전한 기승전결의 구조를 이루고 있는 시적인 구성법이다. 이런 작품은 작가보다도 독자에 의해서 그 작품성이 확보되어진다.

3. 종교적 齊合性

　인간은 현실적인 자아와 이상적인 자아와의 이중 구조를 이루고 있다. 따라서 이상적인 자아가 현실에서 만족이 성취되지 못했을 때 강한 충돌을 일으킨다. 그 찌꺼기가 바로 불만과 불평이다. 이러한 이중 구조를 해소하기 위해 先人들은 일찍부터 자신을 낮추라고 충고하였다. 그리고 그 방법들을 무수히 제시해 놓고 있다. 그런데 사람들은 예수를 십자가에 처형해 놓고 박수를 친 당시의 이스라엘 민족들을 비난할 줄 알면서 자신이 바로 예수를 십자가에 못 박은 이스라엘 백성임을 깨닫지 못한다. 그래서 비극은 계속될 수밖에 없는 것이다.

> 　사실 지금에서야 말하지만 눈가루 뿌려지는 것 같은 통과 뮤직박스는 언제나 마음을 흔들어 놓았다. 그리고 그것을 볼 때마다 어린아이처럼 투명해지는 마음이었다. 그리고 갖고 싶었다. 언제 큰마음을 먹고 사리라 벼르고 별이었지만 뜻을 이루지 못했었다. 아이들이 생일이나 크리스마스에 갖고 싶은 것이 있으면 말하라고 한다. 그때마다 이 두 가지 중 하나가 튀어나오려고 했지만 스스로 자제를 하곤 했었다. 엄마라는 체면 때문에 어린아이들이나 좋아할 물건을 웃음거리가 될까봐서 차마 입밖에 꺼내지 못하였다. 언제나 짝사랑하는 소녀마냥 가슴에만 담고 있었는데 내가 만든 추리와 어울린다고 생각했는지 어떤 손님이 가져다 논 것이다.
>
> 　　　　　　　　　　　　　　　　　　－〈싼타가 주고간 선물〉

　사람의 삶이란 결국, 알 수 없는 것들의 연속이라고나 할까. 무엇을 얻으면 어떻고 잃으면 어떻단 말인가. 어린이들이 장난감을 얻으면 일주일을 못 넘기도 금세 싫증을 느끼듯 그렇게 사물을 소유하는 순간, 인간은 그 의미를 상실하고 만다. 그런데도 인간은 그것을 얻지 못하면 거기에서 삶의 가치를 손상당한 것 같은 생각을 가지고 살아간다. 이렇듯 인간은 알 수없는 것들의 연속이다. 인간이 소유나 혹은 집착에 매이면 그 삶은 언제나 속박당할 수밖에 없게 된다.

그런데 강효순의 수필 속에는 그런 시시한 것들에 속박당해 자신을 지치게 하는 불만의 목소리가 없다. 사물을 명민하게 관찰하고 지혜있게 바라보는 혜안으로 번들거린다. 하찮은 나무에서 물그림자에 이르기까지 그 속에서 자연의 성정과 이치를 체득하고 있다. 철학이 인간에게 암호라면 강효순의 문학은 바로 그것을 풀어내는 철학이다. 그렇게 강효순의 작품은 어떤 사물을 대하든 그 속에서 사물의 자연성과 이치를 탐색해 내고 있다. 이런 것들은 영성이 발달된 작가만이 풀어낼 수 있는 과제. 인간이 제아무리 나이를 많이 먹었을지라도 그런 영성을 갖추지 못했다면 그 삶은 거칠 수밖에 없다. 한 인간의 삶의 무늬가 찬란한 것은 영성 때문이고 보면 강효순의 문학은 그런 영지를 확보한 문학이 되는 셈이다.

결국 삶이란 自와 他와의 관계이고 보면 물질은 타일 수도 있고 인간이 타일수도 있고 가족도 타일수도 있다. 그 타를 어떻게 수용하느냐에 따라서 삶의 형태는 달라진다. "처녀가 애를 배도 할 말 있다."는 한국 속담은 인간의 의식이 단순하지 않고 변명의 가치를 지니고 있다는 말이다. 또 다른 속담에는 "글 못하는 사내 필묵 탓하고, 떡 못하는 계집 안반 탓하고 장님이 넘어지면 지팡이 탓한다."는 속담이다. 이렇게 인간은 자기에게 신선하지 못하다. 항상 모든 문제의 해결점을 자신이 아닌 타에서 찾으려 한다. 그래서 문제는 풀리지 못한다. 그런데 작가 강효순은 모든 것을 자기 탓으로 돌리는 순백의 혼을 가지고 살아가고 있다. 이것은 기독교 신앙에서 획득되어진 것으로 그의 돈독한 신앙심을 잘 알 수 있다.

> 반백의 십대, 얼굴의 주름에게도 세월에게도 빼앗기지 않는 젊은 그녀에게 고관대작 부인들의 교양이나 고상함을 만들어 내라 하면 종달새에게서 노래를 빼앗은 격일 것이다. 하지만 그녀에게서는 도도함도 비굴함도 아닌 당당한 양반의 품위가 자연스럽게 풍겨 나오는 멋스러움이 있다.
>
> 흐르는 구름 속에서도 하나님의 손길을 읽을 줄 알고, 작은 새들의 지저귐으로도 감동 할 줄 알며 먹구름 속에서도 맬랑 꼬리 문화를 끌어 낼 줄 아는 그녀는 정녕 무엇도 범할 수 없는 하나님에게서 온 분홍 바람임이 분명하다.
>
> 그 마음은 어떻게 생겼나 너무나 궁금하여 살짝 문 열어 보면 마음 바로 옆에 하나님께서 날마다 필터 새로 바꾸어 주시는 정화조 같은 기도의 창고가 심령 밑바닥에 놓여져 있음을 안다.
>
> 밥맛이 없는 사람, 가슴을 답답하게 하는 사람, 말거리를 궁하게 만드는 사람, 말이 통하지 않는 사람, 말 건네기 어려운 사람과 마주 할 때, 그녀 앞에 서보라. 어떤 조화를 볼 수 있을 것이다.
>
> 바쁘게 돌아가는 세상 숲 속 산책로의 의자, 언 손 녹이고 싶은 난로, 난로 속의 구수한 냄새 풍기는 군밤 같은 존재, 그래서 나는 그녀 곁에 있으면 늘 행복하다.
>
> 아, 지금 당장 그녀이고 싶어라.
>
> ―〈그녀이고 싶어라〉

작가 강효순의 삶을 깊숙이 들여다 볼 수 있는 수필이다. 그는 일상의 모든 사물에서 항상 좋은 점만을 취하려 든다. 그래서 그의 수필에는 공격성이 없다. 마른 소리도 없고 비난도 없다. 모두가 자신의 삶에 대한 반성과 회오와 제합과 융합의 미의식이다. 그래서 더욱 읽고 싶은 친근감이 있다. 수필은 다른 문학과 달라서 비교적 자기 노출이 심하다. 진짜 자기의 모습은 감추고 겉만 표현한다. 그러다보니 자기 자랑이요 너스레 타령이 홍수를 이룬다. 그래서 수필은 재미없다고 한다. 그러나 강효순의 작품은 그것을 뛰어넘는다. 그런 너스레나 타령이 없고 허접스러운 자기 발광이 없다. 오직 진지한 자세로 인생을 굽어보고 되새김질하는 잠언같은 목소리만이 등장한다. 고립의 세계가 없고 갈등과 번뇌로써 자신을 죽이는 그런 갈한 목소리 대신 오직 인간을 승화시키고 목욕시키는 신선함으로 탐닉해 있다. 그러므로 그의 수필에서 정신적인 에너지를 얻게 된다.

인간이 경험하는 삶의 모습은 음풍농월의 격양가는 아니다. 경험의 내용은 거의가 반복되는 일상이지만 그 가운데 참으로 기절초풍할 정도의 엉뚱한 일도 부딪친다. 그것들은 원인과 결과가 분명한 것들도 있지만 그렇지 않은 것이 대부분이다. 기상이 때에 따라 날씨가 달라지듯이 인간의 감정도 상황에 따라 달라진다. 이러한 변화를 축소해보고자 인간은 도덕과 禮意라는 것을 만들어 놓았고 풍속과 전통이라는 것을 전수시키려 든다. 그러나 현대에 와서 이러한 우리의 전통 문화를 흔들리고 있다.

그러나 강효순은 실로 눈물이 날만큼 이러한 우리의 전통을 그대로 수용하면서도 그 부족함을 가슴 아파하고 있다. 인간은 심리적으로 자신을 기만해서라도 다른 사람 앞에 자아를 드러내기 위한 심리를 가지고 있다. 문학의 창작은 어쩌면 이런 심리 변화를 그리는 것인지도 모른다. 그러나 강효순의 작품에서는 이런 상업주의적인 자아를 발견할 수 없다는데 신선감이 있다.

> 가슴이 아팠다. 미국에 오신지 오륙 개월 정도 되신 듯한데 회갑을 맞으신 것이다. 한국에서는 인천에 있는 큰 교회를 개척할 때부터 섬겨 오시다가 이민 오셨다. 사업을 하셨다는 바깥어른께서 미국에 오니까 전화기가 조용하고 찾아오는 사람이 적어서 좋다는 농담을 가끔씩 하셨다. 그러나 그 속에는 분명 외로움 반 농담 반이 섞여 있음을 직감할 수 있었다.
> 사실 권사님의 고국 생활은 너무 바쁘셨을 것이다. 자애로우시고, 남을 먼저 생각해 주시는 인품, 편안하게 해주시는 부드러운 미소, 이런 사랑으로 인하여 권사님을 찾아오는 사람이 많았을 것이다. 만나면 그냥 기뻐서 오는 사람, 아픈 마음을 호소하려는 사람, 답답한 일에 해결을 얻고 싶은 사람, 궁한 것을 채우고 싶은 사람, 사람 사람으로 둘러싸여 외로움을 모르고 사셨으리라.
> —〈카드에 쓴 글〉

이 수필은 현실적인 자아와 도피한 대상으로서의 타아의 구조로 되어 있다. 대상으로서의 자아는 이미 경험 세계로서 존재했던 자아다. 그러므로 타아는 또 다른 자아일 수 있다. 따라서 현실적인 자아는 또 다른 자아와 함께 동거해야만 하는 무게를 가지고 있다. 이는 모든 사람이 버거워 하는 것이 이 시대의 흐름이다. 그런데 강효순은 그것을 도피하지 않고 두 개의 자아를 취하며 살아가고 있다. 이런 일치된 삶 때문에 강효순은 천녀(天女)설화에 나오는 천의(天衣)를 입혀주고 싶다. 이 비유는 지나치게 과장될지 모르지만, 그러나 천녀라는 표현을 사양하고 싶지 않은 것은 사물과의 관계에서 대처하는 강효순의 슬기가 그렇게 표현하고 싶게 한다. 그만큼 강효순은 오늘날 다시 만날 수 없는 사람이다. 그는 따질지도 모르고 대들지도 모른다. 그렇다고 누구에게 너울거리는 그린 성격도 더욱 못된다. 오직 깨끗함으로 제 자리를 지킬 뿐이다.

조금만 눈높이의 방향을 바꾸거나 욕심에서 초월하면 인간의 삶은 얼마든지 행복할 수 있다. 貧과 富와의 관계, 善과 惡과의 관계, 成과 敗와의 관계, 苦와 樂과의 관계, 자아와 타아와의 관계 속에서 시선의 초점을 몇 도로 맞추느냐에 따라서 순간적인 반응이나 충격을 해소할 수 있다. 그런데 사람들은 그런 균형을 잡지 못하고 항상 자아를 그대로 정착시킨 채 물상만을 놓고 사고하고 판단하려 든다. 여기에서 그 충격을 흡수하지 못하고 좌절하고 방황하고 자신을 나락으로 내미는 군중들이 얼마나 많은가.

몇 년 전에 우리나라의 소설가 최인호 선생이 대상 임상옥에 대하여 쓴'상도'를 읽을 기회가 있었다. 소설의 중간 부분 어디쯤엔가 서울 장안을 드나드는 모든 사람의 성이 몇 가지나 되느냐는 이야기가 나온다. 놀랍게도 그 답은 딱 두 가지의 성씨만이 있다고 했다. '해'가와 '이'가. 이 부분에서 나는 상당히 충격을 받았다. 소설을 끝까지 읽고 나니 두 가지의 성씨로 일관 시켜버리는 대답을 여인의 입을 통해 말하게 되었다는 것 외에는 그 주변의 장면들이 선명하게 살아나지 않았다. 물론 주인공 임상옥은 사람을 으뜸으로 알고 사람 얻는 것을 재물 얻는 것 이상으로 치던 선하고 유순한 인품을 가진 모든 사람이 본받기에 충분한 사람으로 그려져 있다.

그런데 어찌하여 최인호 선생은 선한 상인 임상옥을 쓰면서 나약한 여인의 입을 통하여 그런 말을 하게 하였을까. 이상적인 상도덕은 주인공 임상옥을 통하여 보여 주었지만 인간 삶의 바른 길을 보잘 것 없는 여인을 통해 전달한 것이 더욱 효과가 있었으리라고 생각했던 것일까.

그녀의 말에 따라 앞에 있는 모든 사람은 해를 주는 사람이 아니며 이익을 주는 사람이다. 사람을 식별하는 눈을 가졌다면 그런 사람은 참 교활한 사람일 것이다. 자연히 해를 주는 사람은 돌아보지도 않고 이익을 줄 수 있는 사람만 졸졸 따라 다니면서 헤헤거리게 될 것이니까 말이다. 그러나 이런 식별의 눈을 가진 사람들을 지혜 있는 사람이라 말하기도 한다니 아무래도 나는 지혜자라는 명칭은 영원히 얻을 수가 없을 것 같은 직감이 든다. 내가 누군가를 해가와 이가로 규정짓는다면 자신도 누군가의 해가가 될 수가 있고 이가 또한 될 수가 있다는 것을 알아야 한다. 여태껏 누군가에 의해 그런 규정을 받고 있으리라고는 생각조차 못했었다. 불행하게도 상거래도 아닌 현 생활 속에서 그런 식별 능력을 갖고 있는 사람을 얼마 전 만나고 말았다. 그의 옆에 있으면 아예 해가로 내쳐져 있는 느낌을 받는다. 처음에는 무척 슬펐다. 아니 화가 났다. 자기에게 손해를 끼친 적도, 그렇다고 아프게 한 적도 없었다. 그런데 나를 무시를 하고 있다는 생각에 분노를 짓누르기가 어려웠다. 그러다 그의 입장을 바꾸어 생각해 보았다. 내가 해를 주지는 않았지만 이익을 주었던 적도 한번도 없었다는 사실이 떠올랐다. 그리고 앞으로도 그의 이익을 위한 무리 속에는 결코 들어갈 수가 없다는 것도 알았다. 그는 불! 행히도 '상도'속의 여인의 말처럼 해가와 이가로 모든 사람을 분류하고 있었던 것이다.

−〈이가와 해가〉

수필이라는 이름 보다는 한 편의 참회록을 읽는 마음이다. 이렇듯 그의 수필을 읽다보면 마음이 엄숙해 진다. 우리의 삶이 왜 버거워지는가. 이익에 취해 있기 때문이다. 우리의 삶이 왜 파괴되는가. 자신을 되돌아볼 줄 모르기 때문이다. 강효순의 작품은 일상의 삶을 소화하는 지혜의 문학이다. 불교에서는 이러한 삶을 깨달은 삶이라 하고 유교에서는 도덕적 삶이라 하고 기독교에서는 성령 충만한 은혜의 삶이라 한다. 그런데 더 재미있는 것은 이러한 주제를 그는 의도적으로 만들어 내고 있지 않다는데 있다. 말하자면 문학적 구성미를 취하려 하지 않는다. 그저 꾸밈없이 자신이 생각을 그대로 열중할 뿐이다. 그런데도 잠언적 지혜를 주는 것은 그의 정신이 맑기 때문이다. '글은 바로 그 사람이다.'라는 말이 아니라도 작가 마음의 결정체가 바로 글이 되어 나오기 때문이라면 우리는 수필을 읽는 이유를 발견하게 된다. 눈 먼 자가 사물을 어떻게 보겠는가. 그런데 그는 사물을 보기를 원한다. 여기에서 인간 비극은 존재한다. 그런데 강효순은 자신을 항상 적당한 곳에 가져다 놓을 줄 안다. 그러기에 그의 순간의 갈등은 존재할지 모르지만 고통은 없다. 고통이 없는 삶은 바로 번민이 없는 삶이요 불행이 없는 삶이다.

4.체험의 굴절과 문학적 自我

그의 수많은 작품은 하나같이 보석 같은 반짝임이 있다. 이웃에 대한 얘기도 그렇지만 자녀에 대한 얘기도 그렇고 사물을 대하는 마음 자세도, 어떤 일을 처리하는 일도, 세상을 살아가는 마음가짐도 어떤 이치를 터득해 내어서 자기화하는 영법을 가지고 있다. 그것을 바로크적인 기질이라고 표현해도 좋을 성 싶다. 그만치 그는 높은 창조력을 가지고 있다. 이것은 인간으로 태어난 영광인지 모른다. 무엇을 창조하고 무엇을 자기화할 수 있다는 그 창조력은 신을 빼놓고는 인간의 그 절대자인 것이다.

잔디밭에 물주기 위한 스프링클러가 시원하게 물줄기를 뿜어댄다. 그 물줄기의 잔해들이 콘크리트 보도 위에 흘러들어 맑은 거울이 된다. 어떤 곳은 손바닥만하고 어떤 곳은 방석만 하고 또 어떤 곳은 밥상만한 제각기 다른 크기의 얕은 웅덩이를 만들어내고 있다.

웅덩이들은 쨍하고 내리쬐는 햇빛을 담아 눈을 부시게도 하고, 더러는 작게 흔들리는 나무 가지와 잎을 비추고, 또는 푸른 하늘을 배경으로 한가히 떠있는 구름조각과 회색의 담과 담을 타고 올라간 담쟁이 넝쿨까지도 안고 있다. 저마다 비추고 있는 방향들을 따라 되받아 아름답게 장식하고 있다. (중략)

어느 날 새로 시작한 사업 때문에 울면서 나의 문을 두드린 친구가 있었다. 아직 자리를 잡지 못한 사업 때문에 고민하고 있었다. 동양여자 만만하게 보고 생떼를 쓰는 손님, 쌓여지는 부채 등 사업으로 인해 오는 어려움만으로도 충분한 한숨거리였다. 거기다가 살붙이 하나 없는 이국 생활의 외로움으로 인해 생기는 중압감 때문에 성실하게 이행할 수 없는 주부의 모습으로 인해 생겨지는 가족들과의 갈등도 심했다. 그녀의 생활은 실로 도미노 게임이었다. 하나가 넘어지기 시작하자 그 이웃, 또 그 옆으로 번지고 번져서 삽시간에 가장 중요하고 중심이 되는 가정까지도 흔들리는 것을 하소연하기 위해 한보따리의 한숨을 내 앞에 펴놓았다.

−(중략)−

이런 나에게 물웅덩이 거울은 참 좋은 교훈을 주고 있었다. 힘이 모자라면 힘이 있는 그곳을 비추면 되는 역할 말이다. 비록 내 모습이 어정쩡하고 뒤뚱거리는 걸음에다가 시골 티 줄줄 흘러 매끄럽지 못하며 가진 재산도 재치도 새능도 또한 지혜조치 없는 것이 사실이다. 그러나 다행히 내 속에는 아름다운 모습들을 가진 많은 분들의 본보기가 담겨져 있다. (중략)

누군가에게 기쁨과 희망을 주는 일이라면 열심히 나눌 것이다. 어려움은 나누면 반이 되고 기쁨은 나누면 배가 된다 했다.

-〈내게 있는 것〉

화자 깅효순에 있어서의 원초적인 회귀는 사랑이라는 齊合과 融合의 箴言的 知足美의 동심원(同心圓)이다. 이러한 동심원이 그의 문학적인 바탕을 이루고 있다. 이것을 다른 말로 제합과 융합의 문학 세계라 할 수 있다. 이것을 크게 확대하면 하나의 가족의식(家族意識)이라고 표현할 수도 있다. 사람의 삶이란 결국 알 수 없는 것들의 연속이요 불안한 미지의 세계일뿐이다. 그러나 우리에게 이러한 미의식이 존재하기 때문에 인간은 외롭지 않을 수 있다. 이국의 이민생활에서 이러한 인정은 더욱 절대적 가치로 다가섰는지도 모른다.

따라서 그의 수필은 자신의 삶을 되돌아보고 반추하는 그런 철학적 깊이의 골을 이루고 있다. 그러니까 밥 먹고 이 쑤시는 그런 시시한 애기가 없다. 긴박한 삶의 호흡 속에 진지한 회오와 반성, 그리고 거울 같은 양심의 울림과 잠언적인 깨끗하고 쾌활한 신의 목소리가 우리의 영혼을 맑게 하는 여울이 흐르고 있다.

별 속에 숨은 사람

초판인쇄 / 2005년10월 17일
초판발행 / 2005년 10월 25일

지 은 이 / 강효순
펴 낸 이 / 정기옥
펴 낸 곳 / 도서출판 대한문학

출판등록 : 제22-2597호
주   소 : 서울 서초구 내곡동 1-2232
인 터 넷 : 홈페이지 www.dhmh.com
전자우편 : dhmh37@hanmail.net
전   화 : 02-457-9054
ISBN 89-91808-10-7-03810